普天之下・盡是好書

普天出版家族
Popular Press Family

凌雲文創
A-Plus Creative Company

春秋末年，吳楚越三國由於累年的血仇，爆發了長達近一個世紀的廝殺與混戰。
三個男人——伍子胥、吳王夫差、越王句踐，共同演繹了一段血淋淋又驚心動魄的爭霸歷史。

逃亡、怨咒、暗殺、鞭屍、隱忍、陰謀、反間、背叛……層出不窮！這三個男人，
用他們的憤怒和隱忍、國仇與家恨，譜寫一世紀的仇恨與廝殺、一世紀的陰謀與爭戰，
簡直就如一個暴力美學大師構思出來的好萊塢巨片。

江湖閑樂生 著

春秋那些事之吳越爭霸

The Most Interesting History of China

卷一

逃亡與復仇

三個國家、
三個男人的
陰謀與戰爭！

出版序

黃金時代中的黃金時代

春秋末年吳楚越三國之間這段持續了近百年的戰爭，是一段瀰漫著血腥與殘殺、充斥著陰謀與仇恨的歷史，揭示著歷史深處最慘烈也最黑暗的一面。

●江湖閑樂生

西元前六世紀下半葉到西元前五世紀上半葉這近百年，是一段很重要的歷史，也是一段很有意思的歷史。

期間，中國發生了兩件大事。

第一件大事，是思想文化的大變革。

它爲中國迎來了第一個黃金時代，而且是黃金時代中的黃金時代——百家爭鳴的春秋末期，以及之後的戰國兩百年。

此時，人們的思想空前活躍、空前自由、空前開放。從前由世襲貴族壟斷國家政權與文化的局面被徹底打破，社會的中間階層「士」開始崛起，並不斷挑戰逐漸腐化墮落的諸侯大夫們的權威。

世襲的貴族們不斷地掙扎反攻，也獲得不少勝利，但他們終究阻擋不住洶湧而來的歷史浪潮，最終不得不承認一個事實：憑著祖先留給自己的DNA就能主宰一切的時代已經過去，思想與能力才是新世界深情呼喚的最美旋律。

於是，無數風流人物站了出來，引導中國走入光芒四射、美不勝收、輝煌燦爛的夢幻之路。我們應該向他們致敬，因爲這是民族思想文化的根源。他們分別是：以孔丘、季札、子貢爲首的儒家代表，以孫武、伍子胥、范蠡爲首的兵家代表，以及以漁父、專諸、要離爲首的俠文化代表。

正是他們，靠著自身高尙的情操、超人的智慧，以及不懈的努力，改變中國的歷史進程與中國人的心靈世界。只不過，儒家是用刀筆、口舌與思想；兵家是用士卒、戰車與謀略；俠士，則是用勇氣、忠義，甚至鮮血與生命。

在這群人的影響下，天下終於百鳥齊飛，百花怒放，百家爭鳴。

他們大多是平民或下層貴族，但敢於打破階層的藩籬，周遊列國傳播思想，執著不悔地實踐自己的政治理念，甚至不惜以生命扶助弱小，挑戰強權。那鮮活而生動的靈魂，那時刻閃爍與跳躍的人性光輝，是中國五千年歷史中最難得的一抹亮色。

第二件大事，是政治結構的巨大轉變。

這段期間，正值春秋戰國之交，尊王攘夷、大國稱霸的歷史即將結束，列國爭雄、兼併統一的時代將要來臨，國家在歷史的陣痛中分娩希望，各個民族在混亂而多元的五色裂變中融合凝聚。我們應該感謝這個時代，倘若沒有它，中國將長時間沉醉在希臘那樣的鬆散聯邦制度中，最終分崩離析。

春秋初期，周室王權雖已式微，但尚有號召諸侯之力。此時，處於中原四周的蠻夷、戎狄與荊楚交相入侵，嚴重威脅華夏民族的生存，於是齊、晉等大國站了出來，尊王攘夷，領導諸侯，成爲一時霸主。周室王權雖已不復從前的號召力，但還有霸主代爲行使周天子的職權。此時的中國，還是屬於希臘那樣的鬆散邦國制度。

然而到了春秋末年，入侵中原的蠻夷中，戎、狄已被征服或驅逐，南邊的楚國仍然強大，但當時的霸主晉國已不復從前之威勢，無法領導諸侯對其進行有效的打擊。

於是，與中原之華夏諸侯同出一源的東海小邦吳國，以及更加弱小的南方部族越國站了出來，接過歷史使命，開始了小國崛起之路。正是這兩個小國的崛起，徹底將晉國與楚國的霸業埋葬。由此，天下陷入了戰國時代。

或許在大家的印象中，春秋末年吳楚越三國之間這段持續了近百年的戰爭，是一段瀰漫著血腥與殘殺、充斥著陰謀與仇恨的歷史。沒錯，一提到昭關白髮、專諸魚腸、挖墳鞭屍、臥薪嚐膽，腦海中總會浮現出滅門、逃亡、怨毒、暗殺、隱忍、反間、背叛、自殘等血淋淋的字眼，點點墨痕，化淚淌血，揭示著歷史深處最慘烈也最黑暗的一面。有時候，甚至會給人一種錯覺，彷彿這一段正史，其實是一部暴力美學大師構思出來的好萊塢巨片，或者是一段充滿了濃厚江湖仇殺色彩的武俠傳奇。

然而，歷史的進程就是如此。沒有毀滅，哪裡來的新生？沒有黑暗，哪裡來的光明？它越慘烈，就越悲壯；它越悲壯，就越引人深思。如果所有小國都被大國欺凌而唯唯諾諾不敢反抗，如果所有臣民都在專制制度的強壓下甘作奴才苟且偷生，這樣一潭死水般的歷史，又有什麼意思？

把握了歷史的大脈搏，就會發現，吳楚越三國之間，在長達一個世紀的廝殺與混戰的同時，也融合進了中華民族這個大系統之中。無此，哪裡來的泱泱中華？

還是讓我們回到兩千多年前，回味民族生命力最旺盛的大黃金時代吧！

爲了讓大家更清楚地瞭解這段歷史，我查閱了大量資料和野史軼聞，親自沿著長江從西到東行，實地考察了湖北、江蘇、浙江等地的風土人情，希望能撥開重重迷霧，儘量還原出這一段遙遠而神秘的宏偉歷史。在尊重史實的前提下，我摒棄了死板的學究式的說教，努力將其詮釋得富有後現代娛樂意味，希望能夠一反讀史的習慣，算是嘗試一下講述歷史的新思路。

如果你對兩千多年前中國人的思想生活方式感興趣，請讀一讀這本書。如果你想知道季札、孔丘、子貢等儒家人物如何用自己的才智改變歷史，請讀一讀這本書。或者，如果你對江南地區的風土人情歷史傳說感興趣，也可以讀一讀這本書。

如果你想知道弱勢如何戰勝強權，如果你想知道小國如何在大國林立中崛起稱雄，請讀一讀這本書。或者，如果你喜歡研究軍事，對冷兵器時代的戰爭謀略感興趣，特別是對其源頭兵家聖祖孫武的思想和生平感興趣，請讀一讀這本書。

如果你看慣了不公，歷經了挫折，希望振奮自己的精神，學習古人的慷慨血性，請讀一讀這本書。或者，如果你生活壓抑，渴求熱血，希望感受一下鐵馬沙場的奇妙體驗，請讀一讀這本書。

最後，如果你恨透了歷史教科書的死板生硬，又不想被評書小說電視劇誇張的演繹蒙蔽，更喜歡輕鬆隨意地躺在床上，像看一個有趣的故事一樣享受歷史，務必讀一讀這本書。平庸如我，只有儘量將這段歷史演繹得輕鬆好玩一點了。

第3章 嗜血的王冠

季札要求欣賞周樂，一則是為了表示自己嚮往中原文化，不是普通的鄉下人；二是為了顯擺自己的博學多才和藝術修養，從而打響知名度。一句話，他想紅啊！

第4章 吳王闔閭／119

兩顆美麗的人頭滾落，豔麗的鮮血綻放如花。清晨的風摻雜著令人作嘔的血腥味，孫武滿臉平靜地繼續開始訓練，好像剛才什麼事兒都沒有發生過一樣。

第7章

楚昭王的成長／259

成熟的政治家，必須要有廣闊的胸襟，讓更多的人團結在周圍。越是多事之秋，團結與穩定越是顯得重要，這就是楚昭王從不斷的失敗中學來的寶貴政治智慧。

第8章 攻越／285

數百名罪犯倒在吳軍士兵眼前，大風將濃重的血腥味吹散開，所有人瞠目結舌。死人誰沒看過？可是數百個人在眼前「集體自殺」這樣的震撼情景，誰曾看到過？

第1章

災難

太子建真可憐呀！漂亮老婆給老爹霸佔了，還被發配邊疆，愛情事業兩失意。費無忌則別提多開心了，臭學生被趕跑了，痛快！可他還是有點兒不放心……

1 老牛吃嫩草

儲君哪裡可以隨隨便便就換掉？若真要做，最關鍵的關鍵，在挑撥楚平王和太子建的關係。兩個本無矛盾的男人，如何才能反目呢？最好的工具，就是女人。

一切都從一個女人開始。

或者說，一切皆從一場迎親開始。

西元前五二三年，春秋時代南方第一大國楚國君主楚平王即位的第六年，突然宣佈，派遣大臣費無忌前往秦國，為他的兒子太子建迎娶秦哀公的妹妹孟嬴。

這是一場政治聯姻，目的是為了結成盟友，以抗衡長期與楚國爭霸的晉國，不想卻被導演費無忌同志引上了一條詭異的道路，南中國的大地從此陷入紛飛的戰火之中，楚國的命運則開始朝變態的方向發展。

和齊國一樣，秦國也出美女。從前秦穆公的小女兒弄玉就是個超級美女，曾經把華山上的神仙迷倒，而這個孟嬴一點也不比她的弄玉學姐差，人送外號「夢縈」，男人看了都得「魂牽夢縈」。後世小說家則把孟嬴稱爲「無祥公主」，果然不祥，這個名字取得頗有意味。

事情糟就糟在，她太美了！

更糟的是，迎親的大臣費無忌，是個正宗的小人！

美女加上小人，想也知道得出事。

其實，費無忌從前也想當個好人。他在楚國從事的是高尚的教育事業，教育的不是別人，正是尊貴無比的楚國儲君太子建。

這是多麼有前途的職業呀！費無忌本來是可以成爲一個好老師，一個好園丁的。可惜造化弄人，或許他教學水平太差，太子建更喜歡的是另一個老師伍奢。

這讓費無忌很鬱悶、很費解，這小孩兒怎麼就不喜歡我呢？論學問、論帥氣，我哪點比伍奢差呀？偏偏當時，伍奢是太師，屬於大學教授級別，費無忌只是太傅，差不多算個副教授。

這世上從來只有學生挑老師，沒有老師挑學生的，更何況學生還是當朝太子，日後的國家元首。可是費老師偏偏不服氣，既然這個學生不待見自己，乾脆換一個教。

如何才能實現目的呢？

簡單，換一個太子吧！

這事兒說起來簡單，實行起來卻沒那麼容易。一國的儲君，哪裡可以隨隨便便就換掉？若眞要做，最關鍵的關鍵，在挑撥楚平王和太子建的關係。

兩個本無矛盾的男人，如何才能反目呢？

最好的工具，就是女人。

可不嗎？這世上爲了女人而反目的男人多了去了。從遠了說，洋妞海倫讓希臘人打了十年的仗；從近了說，鄭女夏姬讓陳、楚、晉、吳一大堆男人全亂了套。楚平王也是個男人，那就有可能爲女人發狂。

費老師搞了多年的教育理論研究，別的沒研究通，對於如何把握人性的弱點，卻是專家中的專家。孟嬴這種能引人發狂的超級大美女，正是他此刻夢寐以求的最佳人選。只要楚平王被引得發狂，計劃就算完成了一半。

所以，把新娘子從秦國接回來後，費無忌第一件事就是找到楚平王說：「大王啊！可不得了，這個秦女長得美如天仙，留給太子太浪費了！大王幹了一輩子革命工作，也該享享清福，不如，咱自己娶了？」

楚平王說：「這不太好吧！寡人是個正人君子來的，怎麼能如此違背人倫呢？」

費無忌說：「沒關係，婚禮不是還沒開始嗎？咱們給太子再找一個。」說著，讓孟嬴進來。

果然，就見楚平王目瞪口呆地看著被送到眼前的大美女，哈喇子流了二尺多長，許久才回過神來說：「好！就聽你的！寡人娶了也叫肥水不流外人田不是？太子這麼孝順，應該會理解老爸我的。」

就這樣，太子建分到一個暴醜的齊女當老婆，孟嬴則被她未來的公公半路給截了下來，做了楚平王的寵妃，沒多久還生了個大胖小子，楚平王愛如珍寶，取名爲珍，就是後來的楚昭王。

唉，又是一個老牛吃嫩草的猥瑣故事，每次在史書中讀到這樣的情節，我就忍不住想吐。

2 陰謀

太子建真可憐呀！漂亮老婆給老爹霸佔了，還被發配邊疆，愛情事業兩失意。費無忌則別提多開心了，臭學生被趕跑了，痛快！可他還是有點兒不放心……

楚平王上了鉤，剩下的事就好辦了。

沒多久，費無忌又對他說：「晉國為啥能稱霸諸侯？就是因為它接近中原諸國。咱楚國其實一點兒也不比它差，吃虧就吃虧在咱們地段不好。依我看，咱們不如擴大城父（在今河南寶豐縣，與陳邑城父為二地）的城牆，把太子安置在那裡，以謀取北方的宋、鄭、魯、衛等國。這樣大王就能專心安定南方的吳越，繼而稱霸天下了！」

楚平王明白費無忌的意思，說得好聽，其實就是要支開太子建。這樣也好，自己畢竟搶了他的老婆，心裡老是不得勁，每天低頭不見抬頭見的，不如讓他待遠一點兒，一方面可以培養能力，另一方面避免尷尬。

太子建眞可憐呀！漂亮老婆給老爹霸佔了，還被發配邊疆，愛情事業兩失意。費無忌則別提多開心了，這臭學生終於被自己趕跑了，痛快！可他還是有點兒不放心，現在自己是挺快活，可一旦日後太子建做了楚王，可就要吃不了兜著走了。

所謂人無遠慮，必有近憂，不徹底將太子建置於死地，他就一天不能安心。

也許金庸先生在《倚天屠龍記》裡寫的成崑陷害自己徒弟謝遜的故事，靈感就是打費無忌這兒來的，要不，他怎麼會給小說的主人公取一個怪名字叫張無忌呢？豈不是和費無忌三個字太像了一點？

但凡小說情節，敵人陷害敵人不稀奇，朋友陷害朋友也不勝枚舉，學生陷害老師早就被人寫濫了，老師陷害學生倒是一個激化矛盾衝突的神來之筆。金庸老先生總能把一個故事講得跌宕起伏，盪氣迴腸，根源就在於他對人性的深刻理解。

爲了利益，任何人都有可能陷害別人，這就是人性的醜惡。虛構的小說如此，現實的歷史也是如此。

於是，費無忌耐心地等了一年。

等到時間與空間的距離讓平王父子產生巨大隔閡了，他又找到了楚平王，說：「太子因爲自己的老婆被搶了，整日裡怨氣沖天，大王你還是防著他點兒好。我聽說，他自從駐守城父以後，就偷偷地勾結外敵，想攻進都城來造反呢！」

打擊政敵，最好的辦法就是誣陷他謀反。中國的皇帝或者國君們最害怕的就是手下人造反，一旦聽說了，不管是不是眞的，都要抓起來殺了再說。這，就是君主專制制度最大的一顆毒瘤。

沒辦法，皇權或者王權這種至高無上、生殺予奪的權力實在太誘人了。替天行道啊，天命所歸啊，統統都是狗屁，他們自己不也是靠造反才得的天下嗎？

中國的這個優良傳統，演變到最後、到極端，就成了可怕的文字獄。

所以，楚平王聽了費無忌的這番話，抱住腦袋、抓著頭髮，心中就糾結起來了……

3 一錯再錯

費無忌不能回頭，楚平王更加不能回頭，他們現在是捆在一根繩子上的螞蚱。

於是楚平王又一次提審伍奢，說：「寫封信把你兩個兒子叫來，寡人就放了你！」

楚平王其實有個心病，就是他的王位來得也並不是那麼光彩。

那還是在七年前，西元前五二九年，那時候楚平王還叫做公子棄疾，是當時楚國君主楚靈王最小的弟弟。

楚靈王是個好戰的君主，沒事就喜歡打仗，這種男人的遊戲能讓他瘋狂。

春秋亂世，國君喜歡打仗很正常，可是瘋過頭就不好了。成年累月的戰爭，使得國內的百姓和各大貴閥豪族怨聲載道，沒多久就爆發了內亂。

就在這一年五月，公子棄疾趁楚靈王出外狩獵，聯合兩個哥哥一起造反，率軍攻入郢都（楚國國都，今湖北江陵），奉三哥公子比為楚王。楚靈王眾叛親離，在荒郊野外孤零零地上吊自殺，結束瘋狂而罪惡的一生。

沒多久，公子棄疾又逼死他的兩個哥哥，自己做了楚王，是為楚平王。

手足相殘，原來這個王位是他殺掉三個哥哥換來的。

有誰知道，多少個孤獨的夜晚，楚平王都被可怕的惡夢驚醒，夢見幾個哥哥拎著頭顱站在他面前，指著他又哭又笑又跳，眼前到處都是血——牆上、地上、衣服上、臉上、手上，怎麼擦也擦不乾淨！

所以，當費無忌跟楚平王說他的兒子想要造反，他一下子就嚇懵了。

楚平王不知道自己的兒子要造反這事情是不是真的，但他知道，在楚國，父子相殘從來就不是一件新鮮事兒。從前，楚太子商臣就殘忍地殺死了父親楚成王，自己當了國君楚穆王。如今，這個可怕的命運又要降臨到他頭上了。

報應，難道這就是報應？

他後悔了，為什麼？為什麼自己就因為一時把持不住，釀下如此大錯？以致走到了無法挽回的地步。

這世上，有的錯誤可以挽回，有的錯誤可以補救，但有一些錯誤是沒有辦法回頭的。錯了就錯了，唯一的辦法，只有繼續錯下去。

或許費無忌進的只是讒言，或許他的話全都是捕風捉影，但事到如今，楚平王只能搶先對自己的兒子下手。既然從前能手足相殘，現在就能父子相撲，一切都是爲了權力，至高無上的楚國王權。

這下子，費無忌原先的競爭對手伍奢伍老先生倒楣了。楚平王把他抓了起來，問他知不知道太子造反的事情。

伍老先生學問雖然好，性子卻倔得很，他明白這都是費無忌搞的鬼，便道：「大王，您怎麼能僅僅憑撥弄是非的小人的壞話，就疏遠骨肉至親呢？小建是個乖孩子，他絕對不會這麼做的。」

唉！知識份子書讀多了，有時候就是不知道變通。人家都起了殺心，你再爭辯有什麼用？這不是把自己也拖下水了嗎？

費無忌大喜，嘿嘿！老傢伙眞是傻到家了。叫你以前跟我作對，這次我還不徹底扳倒你！

「大王，他和太子是一夥的。現在不幹掉這些人，他們的陰謀就要得逞，您反過來就要被幹掉了！」他說。

楚平王大怒——君主一怒，就要死人了，他將伍奢打入天牢，擇日處死，同時命令城父警備司令部司令員奮揚前去捕殺太子建，以絕後患。

奮司令不幹，他是太子建的鐵哥們兒，要他親手殺了自己的哥們兒，那可不行！於是他找到太子建，說：「快跑，你父王要我殺你呢！」

「那你怎麼辦？放了我，你可要遭殃。」

「放心，我死不了！」

「這樣啊！這可是你說的，我不管你啦！拜拜！」

太子建趕忙收拾東西，帶著老婆孩子向宋國（今河南商丘）逃難去。奮揚則把自己綁了，回都城去見楚平王。

「太子死了沒？」

「沒死，跑了。」

「誰放跑的？」

「我。」

「承認得倒是乾脆！你放跑了太子，還敢來見我，不怕死嗎？」

「大王從前曾經囑咐我，侍奉太子就像侍奉您本人。我可是聽了您的話才這麼做的，您要殺就殺吧！」

楚平王起了惻隱之心，歎道：「你還眞是個忠臣啊！寡人不殺你，扣你一個月獎金，回去照常上班吧！」

中國的君主一般都不會殺掉忠於自己的奴才，因爲這樣能給其他奴才樹立榜樣。從前，一代霸主楚莊王大發慈悲放過不辱使命的晉國使臣解揚，就是這麼一個道理。

太子建跑了，楚平王自然改立他的心肝寶貝芈珍爲太子，費無忌則頂替伍奢的位子，做了太師。

費無忌導演了一齣絕妙好戲，他的陰謀算是得逞了。可是費導還覺得不過癮，到目前爲止一個人都沒被害死，這簡直是在侮辱他的天才！

不行！一定要斬草除根，將所有潛在的敵人全部消滅。

他又找到楚平王，說：「伍奢陰謀造反，必須死！他的兩個兒子伍尙和伍員也不是省油的燈，留之必爲後患。大王何不將伍奢作爲人質，要脅他們前來送死呢？」

陷害別人是費無忌最爲享受的一種樂趣，也是天下間所有小人最愛幹的事兒。

中國歷史上從來就不缺乏這種小人。

多少英雄好漢，他們不懼明槍，眞刀眞槍的決鬥只會提升勇氣，不能阻擋前進的步伐，但最後，他們往往倒在了小人的暗箭之下。於是大家都在歎息：小人可怕啊！寧願惹惡徒，不能惹小人，否則怎麼死的都不知道。

可是，換個角度來看，連環計、美人計、離間計，同樣是這三種計策，《三國演義》中的司徒王允用了就是正道，費無忌用了就是奸佞小人，爲什麼？

因爲費無忌殘忍自私，所做的一切，都是爲了自己。

由此可見，小人的定義並不是行事方法，甚至也不是行事的目的，關鍵是看行事的對象。如果對付的是大奸大惡之徒，那麼無論使用什麼手段都不爲過。落井下石、暗箭傷人，有何不可？謠言與暗算才是這個世界上最厲害的武器，軟刀子的殺傷力永遠比眞刀子更大。費無忌之所以被稱做小人，只因爲他對付的是代表正義的一方。這，才是關鍵所在。

對於這個提議，楚平王當然是舉雙手雙腳贊成，連說：「高！實在是高！就按你說的做！」

既然做了，就要做到底！費無忌不能回頭，楚平王更加不能回頭，他們現在是捆在一根繩子上的螞蚱。

於是楚平王又一次提審了伍奢，說：「老傢伙，趕快寫封信把你兩個兒子叫來，這樣寡人就放了你。」

伍奢當然知道背後的陰謀，兩個兒子要是來了，誰也活不了，嘆道：「沒用的！我的大兒子伍尙老實厚道又孝順，我叫他，他一定會來。可我二兒子伍員不同，文能安邦，武能定國，生性堅忍，智勇雙全，是個能成大事的人，豈會看不出如此幼稚的圈套？他是不會來的。」

知子莫若父，伍奢雖然最終還是被逼著寫了信，但他堅信，自己的小兒子伍員絕對不會傻傻地跑來送死。他是個能成大事的人，而且這大事還不會是一般的大，楚國從此恐怕沒有寧日了。

聽了伍奢的話，楚平王卻不以爲然，心想：老傢伙，你不吹牛會死啊？

拿到了信，他立即派遣使者，駕著駟馬高車，帶上封裝好的詔書和官印絲帶，來到伍家所在的樊城，誘騙二人。

使者首先找到伍尚，宣讀詔令說：「大喜啊大喜！你們的父親伍奢因爲忠信仁慈，已經脫離災禍，得到赦免了。對於從前的誤會，大王很慚愧，也很後悔，所以決定提拔伍奢爲相國，還要封你們做大官，快點兒領了官印回去，一家團聚吧！」

伍尚說：「父親被關了三年，我們的心中都非常沉痛，日思夜想，擔驚受怕。如今只希望大王能開恩將父親無罪釋放，哪裡還敢貪圖加官晉爵？」

使者說：「得了便宜還賣乖，我鄙視你！我要是你，早就開開心心跑回去叩謝隆恩了，在這裡囉唆個什麼勁哪？」

伍尚大喜，屁顛屁顛地跑進去把好消息告訴弟弟伍員。

4 亡命天涯

武城黑繼續快馬追趕，一路疾行，狂追三百里，終於在一片無人的曠野裡，遠遠地，看到一個高大的身影。伍子胥手握長弓，看著眼前的追兵，眼神無比平靜。

至此，本書的主人公終於要正式登場了。

伍員，字子胥。按照《東周列國志》的誇張說法，此人「生得身長一丈，腰大十圍，眉廣一尺，目光如電」，活脫脫就是一個怪物。當然，此乃小說家言，不足爲信，但是伍子胥長得威武雄壯，異於常人，那是肯定的。如果他長著一副大衆臉，後來的逃亡又怎麼會那麼驚險困難？

話說伍子胥聽了老哥的「好消息」，臉上卻沒有半點歡容，一聲冷笑，說：「父得免死，已爲至幸，我們有什麼功勞值得封侯？這分明是大王的誘騙。我們一去，非但救不了父親，還得搭上自己的性命。我看，咱們不如逃往國外，借助別國的力量，爲父報仇雪恨！」

伍尚道：「話雖如此，但我實在是思念父親，如果能在死之前見上他一面，死而無憾。」

伍子胥急道：「大哥，你不能回去。如果我們和父親一起被處死，一家的冤仇就永遠不能昭雪了，不值得啊！」

伍尚聽到這裡，忍不住放聲痛哭：「你和我不一樣！你文韜武略，機敏果敢，父親的冤仇，只有你可以報得了。死很容易，報仇卻很難。爲兄自私，就讓我去做那件容易的事，讓爲兄先死吧！」

伍子胥見哥哥主意已定，只得拜了四拜，舉起酒杯，以當永訣，並含淚唱道：「兄長上馬兩淚淋，叫人難捨又難分。流淚眼觀流淚眼，斷腸人送斷腸人。倘若家門遭不幸，殺上楚王午朝門。」（京劇《文昭關》）

寒風冽冽，殘陽如血，伍子胥負手站在樊城的城樓之上，看著兄長遠去的背影，淚如雨下。

伍尚走了，他選擇捨生取義，伍子胥留了下來，他選擇忍辱偷生。他是眞正的勇士，敢於正視淋漓的鮮血，直面慘澹的人生。其實，就像從前趙氏孤兒的那個故事，公孫杵臼從容赴死，固然難得，但是程嬰能勇敢地活下來，忍受痛苦和屈辱的折磨，去完成逝者的遺志，更加難能可貴。

從此，伍子胥踏上一條逃亡與復仇的不歸路。坎坷、不幸、饑餓、疲憊、孤獨、絕望和仇恨將在前面等待，伴隨他一輩子。

且說伍子胥在樊城苦等消息時，伍尚已經在郢都被捕，和老爸一起做了階下囚。楚平王見伍子胥果然沒有上鉤，立即派遣大夫武城黑率兵前往樊城抓人。

伍子胥探知楚兵前來抓捕自己，知道父兄難逃毒手，只得強忍悲傷，準備逃亡。但是他還有一個人放心不下，那就是髮妻賈氏。

「我現在被全國通緝，想逃跑卻捨不得妳，怎麼辦？」

賈氏不想拖累丈夫，就道：「你快走，不要管我！」

「這怎麼行？我走了，妳怎麼辦？」

賈氏見丈夫遲遲不肯動身，心一橫，竟然上吊自盡。

爲了成全夫君，寧願捨棄自己的生命，好一個剛烈的女子！也只有這樣的女子，才能配得上我們的復仇男神伍子胥。

這只是一個開頭，後來在伍子胥的逃亡過程中，還有很多人心甘情願爲其而死。

看來，他還眞是一個充滿了魅力的大帥哥、偉丈夫。

妻子自盡，伍子胥痛哭一場，草草料理完後事，立即收拾包袱，身著素袍（喪服），貫弓佩劍而去。

武城黑在樊城沒有找到伍子胥，繼續快馬追趕，一路疾行，狂追三百里，終於在一片無人的曠野裡，遠遠地，看到一個高大的身影。

伍子胥手握長弓，看著眼前的追兵，眼神無比平靜。

「反賊！哪裡走？還不束手就擒！」武城黑大叫著驅車衝了上來。

伍子胥彎弓搭箭，「嗖」的一聲，武城黑的司機應聲滾落車下，死了。

這可不得了！武城黑嚇得跳下車，躲在車後，探出頭，一邊發抖一邊喊話道：「大膽反賊，還敢拒捕！告訴你，你已經被包圍了，識相的就趕快放下武器投降！」

曠野無風，天地一片肅殺。伍子胥緩緩地又取出一枝箭，搭在弓上，瞪著武城黑，一字一句地道：「哼！在你抓住我之前，我這枝箭就會先刺穿你的喉嚨。不信，你可以試試看！」

武城黑見喊話攻勢一點兒不管用，嚇得掉頭就跑，口中大叫：「你等著，我現在就去叫援兵來抓你，有種別跑！」

伍子胥大笑：「你不是要來抓我嗎？來呀！哈哈！回去告訴你主子，想要保住楚國，就趕快放了我的父兄，否則，我必踏平郢都，親斬楚王之頭，以洩心頭之恨！」

武城黑抱頭鼠竄，狼狽逃歸。

楚平王得訊後大怒，即命費無忌將伍奢父子押到菜市場斬首示眾。

臨刑之前，伍奢還是抱著一顆赤膽忠心，仰天長歎道：「我死不要緊，只怕楚國從此無寧日了。」言罷引頸受戮。

百姓觀者，無不流涕。

是時，天昏地暗，悲風慘冽，似乎也預示著，楚國的命運將從此刻徹底改變。

春秋亂世，即將更加混亂。

第2章

逃亡

伍子胥寢不能寐，輾轉尋思，反側不安，望著窗外的一輪明月，放聲高歌。第二天一早，東皋公叩門而入，大驚道：「一夜不見，將軍怎麼頭髮鬍子全白了？」

1 流落江湖

鄭國是不能待了，逃哪兒去呢？晉傾公是個欺軟怕硬的主兒，齊景公則是個喜歡吃喝玩樂的傢伙。秦哀公就更別提了，楚平王是他妹夫，兩個人是老相好……

父親、兄長、妻子，伍子胥所有的親人都死了，現在，他是個無家的人。國家，國家，既然沒有了家，他從此對祖國再無半點感情。後半生的唯一目的，就是報仇！為了報仇，甚至不惜借別國的力量滅亡祖國。

他究竟是一個大丈夫、一個英雄？還是一個楚奸、一個賣國賊？這只能讓後人去評說了。在這裡我不想妄下決斷，只想說，無論伍子胥是成就了千秋功名，還是招來了萬載罵名，他，其實是一個可憐人，一個被命運玩弄，苦苦掙扎在背叛與仇恨之中的可憐人。

可憐人自有可恨之處，也有可愛之處。他的所作所為，一切都是命運使然。

俗話說得好，性格決定命運。伍子胥敢愛敢恨、剛烈堅忍的性格，決定了他寧願轟轟烈烈地活著，也不願悄無聲息地死去。伍奢說得一點兒沒錯，這個兒子此生註定是一個幹大事的人，他將勇往直前，絕不回頭。

如果一個國家不愛它的人民，那麼，它有什麼權力要求人民愛他們的國家？這句話，在伍子胥身上得到最好的證明。

當伍奢父子在楚國引頸受戮的同時，伍子胥已經逃到了長江邊上。他將所穿白袍掛在路旁的樹上，引開追兵，孤身逃入茫茫大山之中。追兵撲了個空，垂頭喪氣地跑回去覆命。

楚平王大怒，命令全國通緝伍子胥，畫影圖，重賞知情報告者。

與此同時，伍子胥已得知了父兄的死訊，痛哭著奔跑在叢林、沼澤之中，悲傷逆流成河。

跑了半天，累了，他筋疲力盡地躺倒在一片荒草中，思索前路。

想了半天，決定去投奔在宋國逃難的太子建。

好死不死，才剛跑出叢林，就撞上了一隊楚國兵。

伍子胥慌忙逃命，卻被來人叫住。原來對方是熟人，剛從他國出使回來的楚國大夫，申包胥。伍子胥立刻不跑了，因爲他知道申包胥的爲人。這是個肝膽相照的好朋友，絕對不會害自己。

兩人在這種情形下相遇，百感交集，可想而知。伍子胥首先哭訴了一番，說：「楚王殺了我的父親和哥哥，現在我該怎麼辦？」

一邊是臣子之忠，一邊是朋友之義，申包胥內心十分煎熬。他說：「我現在還能說什麼呢？我要是叫你報仇，就是對楚王不忠。要是叫你不要報仇，就是對朋友不義。你還是走吧！就當我沒有碰到你。」

伍子胥道：「殺父之仇，不共戴天；殺兄之仇，不容於世。今吾將覆楚，以雪父兄之恥。」

申包胥喟然長歎：「你要爲父報仇，作爲朋友，我不會阻止你，也不會洩漏你的行蹤。但是作爲楚國的臣子，我也有必須履行的責任。你能滅楚，我就能復楚，咱們各自完成自己的使命吧！」

言畢，灑淚而別。

命運無常，以至於斯乎！

從這之後，伍子胥和申包胥雖因家國之變，天各一方，卻始終惺惺相惜，兩心相知。只嘆兩人各爲其主，日後終不免一決高下。

伍子胥終於逃到了宋國，和同病相憐的太子建會合了。但擺在他們面前的，卻是一攤亂局。

宋國的國君宋元公長得很猥瑣，又比較愛撒謊，宋國人都很討厭他，國內豪族華氏便趁機造反，兩邊大打出手。伍子胥和太子建了商量一下，宋國不能待了，又收拾包袱逃到了鄭國（今河南新鄭）。

鄭國當時在諸侯中屬於親晉派，和楚國的關係十分緊張，聽說太子建和伍子胥跑來投靠，十分開心，立馬將兩人安排在五星級賓館，好酒好肉招待。

鄭定公很想幫太子建報仇，可惜國小民弱，心有餘而力不足。他於是爲太子建出主意說：「不是寡人不想爲你報仇，只是光憑鄭國，實在不是楚國的對手。你不如去找我們的老大晉國，他們比較牛！」

太子建一聽是這麼個理兒，馬上動身去尋求幫助。

晉國的國君晉傾公身爲中原諸國的盟主，卻是個欺軟怕硬的傢伙，不敢和楚國作對，反倒打起了鄭國的主意。

原來，鄭國雖然當了晉國多年的小弟，但一直都不算聽話，再加上最近的新任首相乃是鼎鼎大名的賢臣子產，這可是個厲害人物，晉國好幾次去收保護費，都被他硬頂了回來。

傾公很生氣，後果很嚴重。眼見太子建可憐巴巴地跑來尋求外交援助，壞水一下子冒了出來，便偷偷地說：「太子正在鄭國居留，鄭國很信任你。你若能做我們的內應，一起消滅鄭國，寡人就把那塊地封給你。到時候咱倆聯手，還怕楚國嗎？」

太子建復仇心切，當下也管不了那麼多，一口答應下來。有奶便是娘，誰幫他報仇誰就是老大，至於待他不薄的鄭國人，只好說一聲對不起了。

仇恨和貪念足以迷住一個人的雙眼。太子建本來是個純潔的好孩子，現在卻變成了一個無恥的忘恩負義之徒，說來說去，都怪他那沒心肝的老爹和費無忌。一回鄭國，他馬上找來伍子胥商量。

伍子胥反對說：「從前秦穆公也曾派內應謀襲鄭國，結果無功而返，還遭到晉人的暗算。鄭國人行事機警，晉國人奸詐狡猾，兩邊兒沒有一個是好惹的。再說了，人家鄭國人對咱們可不薄，現在恩將仇報，說不太過去吧！」

太子建復仇心切，又貪別人的國家，遂不聽伍子胥的忠言，暗中積蓄力量，聯合鄭國的反對勢力，準備找個機會發動政變。

晉傾公和太子建實在過於小看鄭國君臣的情報力量了。子產是什麼人？那可是鄭國第一的治世能臣啊！這點小伎倆能騙得過他的法眼？很快，子產就查出了太子建的陰謀，將他騙到宮內，對他說：「我們好意收留你，沒做過什麼對不起你的事，爲何要跟我們玩無間道？」

太子建說：「絕無此事！我可是個好人來的，怎麼會這麼幹？」

鄭定公大怒：「你個白眼狼，到了這時候還裝！你是好人，寡人就是聖人了！來人，把這個不要臉的臥底給砍了！」

可憐的太子建，在楚國被親生老爸追殺，在宋國被人輕視，在晉國被人利用，臨了又在鄭國被人砍掉腦袋，可悲可歎啊！早知如此，還不如在城父把自己的腦袋交給好哥們兒奮揚，也省得客死他鄉，最後還落了個忘恩負義的壞名聲。

太子建死了沒關係，伍子胥可又得接著逃了，不同的是，這次還得帶上一個拖油瓶，太子建年幼的兒子王孫勝。

鄭國是不能待了，逃哪兒去呢？

晉國的晉傾公是個欺軟怕硬的主兒，齊國的國君齊景公則是個喜歡吃喝玩樂、從不多管閒事的傢伙，越發靠不住。秦國的秦哀公就更別提了，楚平王是他妹夫，兩個人是老相好來的……

想來想去，決定逃到吳國去。

吳國是楚國的夙敵，兩國打了多年的仗，雙方都死了不少人，怨仇極深。一句話，吳國和伍子胥一樣恨楚國，他們是同道來的。

歸根究柢，晉齊等大國堂堂皇皇，被山帶河，百姓安居樂業，靠他們去幫八竿子打不到一塊兒的伍子胥報仇，無異於癡人說夢。吳國就不一樣了，那裡的老百姓全都是斷髮紋身、一言不合就要拔刀子的少數民族好漢，這樣的人，最合伍子胥的胃口。確實，以他的剛烈性格，更適合當一個吳國人。把那裡當成自己的第二故鄉，再好不過。

2 昭關白髮

伍子胥寢不能寐，輾轉尋思，反側不安，望著窗外的一輪明月，放聲高歌。第二天一早，東皋公叩門而入，大驚道：「一夜不見，將軍怎麼頭髮鬍子全白了？」

滿門被滅，亡命天涯，遭逢奇遇，最後報仇雪恨，大快人心！伍子胥的遭遇，看起來多像武俠劇裡的橋段，可卻是眞實的、血淋淋的歷史。

事實上，伍子胥的復仇之旅艱苦無比，且驚險異常，好幾次，就差那麼一丁點兒，他就得玩完了。

從鄭國到吳國的都城梅里（今江蘇無錫市東南），路途千里，還要穿過楚國領土，這是一段殺機四伏的路。伍子胥帶著王孫勝，歷經千辛萬苦，終於來到了吳楚交界處的昭關（今安徽合肥一帶）。

過了此關，便是大江，通吳的水路了。可是，就跟打遊戲一樣，這最後一關，可不是那麼好過的。

爲了防止伍子胥逃往吳國，楚平王早派了大軍駐紮，盤查過往行人。伍子胥長得高大威猛，好認至極，如何能躲得過嚴苛的盤查？

伍子胥很鬱悶：「跑了半天，偏偏就這最後一關過不去，我要是會傳說中的易容術就好了！」

正在發愁，前面突然轉出一個白髮老翁，邊走邊唱著歌：「閑來無事不從容，睡覺東窗日已紅。萬物靜觀皆自得，四時佳興與人同。」

伍子胥剛想鼓掌，那老翁卻上前行禮，問道：「這位帥哥，敢情就是鼎鼎大名的伍子胥？」

伍子胥嚇了一跳，趕忙否認：「別亂說！誰是伍子胥？你才是伍子胥！你們全家都是伍子胥！」

那老翁大笑：「休要害怕，老漢乃是山下隱士東臯公，是個好人來的，有事但說無妨。」

「好吧！在下正是伍子胥，老丈何以知之？」

「那日打從昭關經過，見掛有圖形，與將軍面貌相似，故而冒叫一聲，多有得罪。」

「原來如此。既是本地人，請問老丈，除了這昭關，還有哪條道路可通吳國？」

「說句實話，並無別路，除非你能變成鳥。」

「天乎！」伍子胥大感絕望，擺了個Pose唱上了：「聽說吳國路不通，好似狼牙箭穿胸。心猿意馬終何用？爹娘啊……父母的冤仇一場空！」

「將軍不必悲傷。此地離寒舍不遠，請至莊中一敘。」

「萍水相逢，怎好打攪？再說我身上也沒帶錢付住宿費。」

「將軍無須見外，有道是……」說著說著，東皋公也又唱上了，「山在西來水在東，山水相連處處通。男兒四海皆朋友，人到何處不相逢？」

「好！」伍子胥不禁鼓掌大笑。

就這樣，他在東皋公的莊上安頓了下來。這一住就是足足七日，每天都想著如何過關，度日如年。正是所謂：過了一天又一天，心中好似滾油煎。腰中枉懸三尺劍，不能報卻父母冤。

鬱悶啊！在莊內耗了七天，走又走不得，留又留不得，耽擱時日，每天吃閒飯，抓狂不抓狂？這一夜，他寢不能寐，輾轉尋思，反側不安，望著窗外的一輪明月，放聲唱了起來：

一輪明月照窗前，愁人心中似箭穿。
實指望到吳國借兵回轉，誰知道昭關有阻攔。
幸遇那東皋公行方便，他將我隱藏在後花園。
一連幾天我的眉不展，夜夜何曾得安眠？
俺伍員好似喪家犬，滿腹的含冤能向誰言？
我好比哀哀長空雁，我好比龍困在淺沙灘。
我好比魚兒吞了鉤線，我好比波浪中失舵的舟船。
思來想去我的肝腸斷，今夜晚怎能夠盼到明天？

這一段乃是京劇《文昭關》的著名唱段，具有極強的魔力。不唱不打緊，這一唱，頭髮鬍鬚竟然全給唱白了！

第二天一早，東皋公叩門而入，見了伍子胥，大驚道：「一夜不見，將軍怎麼頭髮鬍子全白了？該不會是愁白的吧？」

「什麼？怎麼可能？別跟我開國際玩笑！」

東皋公取來一面鏡子，「不信你自己看。」

果然，鏡中人鬚髮白如雪，活脫脫的一個白髮魔男！

伍子胥不由把鏡子一扔，傷心地哭了起來：「想我一個絕世大帥哥，一事無成，雙鬢已斑，天乎！天乎！」

東皋公卻大笑：「恭喜將軍！賀喜將軍！」

伍子胥氣極：「我頭髮白了，你居然還恭喜我，你小子有沒有一點兒同情心哪？」

「頭髮白了好哇！白了多酷啊！而且如此一來，你就可以輕鬆過關了。」

「此話怎講？」

「公狀貌雄偉，見者易識。今鬚髮皆白，一時難辨，可以混過俗眼。我有一好友，名叫皇甫訥，與將軍體貌相似。叫他假扮將軍，將軍卻扮爲僕者，倘吾友被執，爭吵之間，便可搶過昭關也。」

伍子胥遲疑道：「先生之計雖善，但累及貴友，於心不安。」

如此時候還在爲他人考慮，伍子胥果然是個君子。

東皋公笑道：「這個不妨，老夫自有妙計。」

就這樣，靠著東皋公和皇甫訥的幫忙，伍子胥順利地混過了關去，皇甫訥則被守關的士兵抓了起來。

這時候，東皋公出馬了，原來他是守關楚將的好朋友，一說之下才發現抓錯了人，守關楚將很不好意思，將兩人好吃好喝地招待了一頓，又取出金帛賠罪。兩人稱謝下關，飄然而去。

終於逃出生天！伍子胥欣喜若狂，在山林中狂奔狂舞，拔劍高歌：「劍光燦燦兮生清風，仰天長歌兮震長空，員兮員兮脫樊籠！」

「越獄」成功！春秋版「基督山伯爵」踏上了他的漫長復仇路。

3 為君而死

岸邊擺著那女子的鞋襪，無言地訴說著剛才發生的一切。伍子胥長歎，在溪邊的大石上以血書道：爾浣紗，我行乞；我腹飽，爾身溺。十年之後，千金報德！

過了昭關，孤獨英雄伍子胥帶著孤苦小兒王孫勝，來到滾滾東流的長江邊上，但見滔滔江水，茫茫浩浩，波濤萬頃，竟無一舟蹤影。前阻大水，後慮追兵，伍子胥急得直跳腳：「天哪！怎麼這個時候沒了船？可惡！」

關鍵時刻，江中出現一個漁翁，搖著小船，逆水而上。

伍子胥大喜：「天不絕我命也！」於是大叫，「漁父渡我！漁父速速渡我！」

只見漁父停也不停，口中歌道：「日月昭昭乎侵已馳，與子期乎蘆之漪。」意思是說：日月明亮啊已漸向西偏，與你會和在蘆葦岸邊。

看來，漁翁早就知道伍子胥的身份了，只是怕有旁人發現，所以假裝不知，藉唱歌暗示太陽下山了再相約蘆葦叢中見，渡他過河。

伍子胥大叫一聲：「收到！」躲進蘆葦叢中。

太陽終於下山了，漁父依約前來，口中歌道：「日已夕兮，予心憂悲；月已馳兮，何不渡爲？事寖急兮，當奈何？」意思是：太陽下山來喲！好傷心來嗨喲！兄弟你還在等什麼？趕快趕快上船來喲！

伍子胥大喜，船一靠岸，立即跳上去，伏下身子。等到了江心，才抬起頭來對漁父說：「請問恩人貴姓？將來好報答您的大恩大德。」

漁父說：「當今之世，天下動盪，兩個落魄之人相逢於江，大家心照不宣，又何必互問姓名？你就叫我漁丈人，我則稱你蘆中人，如何？」

兩人會心一笑。

將到岸邊，伍子胥解下佩劍道：「小弟逃亡，身無長物。這是我父親生前所用的寶劍，上面鑲有北斗七星，價值百金，請恩人收下，權且當個紀念。」

漁父道：「我聽說，楚王發佈了一道命令：若有人抓到伍子胥，犒賞千兩黃金。現在我連千兩黃金都不要，又怎麼會要那價值百金的寶劍？況且老漢打魚江中，要它何用？請你不要再拿這破劍噁心我了。」

說話間，船已到對岸。漁父取出便當，和伍子胥一起吃飯，並不斷催促他：「快些吃了飯趕路，不要讓追你的人趕上了！」

伍子胥風捲殘雲、狼吞虎嚥一番，飯畢拔腿便走。走了幾步，有些不放心，回頭補上一句：「請收好你的免洗飯盒，莫讓他人看到，以免走漏消息。」

壞，就壞在這一句。漁父面無表情道：「放心，我不會污染環境。」

伍子胥點頭，又往前走了幾步，突然感覺不對，再回頭一看，漁父竟已將船弄翻，連人帶船，沉入了茫茫江水中。

他呆呆地看著江心沉船蕩起的漣漪，百感交集，暗念道：「這下好了，絕對不會再有人走漏消息了。伍子胥，你這個混蛋，現在總該安心了吧？」明月高懸，江風獵獵，伍子胥牽著王孫勝的小手，白髮隨風飄揚，轉過頭，已是淚流滿面。

過了大江，便來到吳國境內。盤纏用盡，伍子胥和王孫勝只得忍饑挨餓。挨到江蘇溧陽市的瀨水岸邊，兩人終於再也撐不住了。一路顛簸，一路饑餓，一路擔驚受怕，身心疲憊到了崩潰的邊緣，現在，他們最需要的，就是一口飯。

突然，眼前一亮，只見前面瀨水岸邊，一個瘦小清秀的女子站在急流中，一面浣紗一面唱著小曲兒。素白的輕紗下，雪白的小腿若隱若現，歡快的歌聲伴著潺潺的流水，頓時讓饑腸轆轆的兩人的躁鬱之心平靜不少。

光陰一去快如梭，人生在世能幾何？

不求富貴求安樂，每日溪邊浣紗羅。

不過，伍子胥現在可無暇欣賞小腿和音樂。他的眼睛死死地盯在了浣紗女身邊竹筐裡的便當上，再也移不開。他很想上前要飯吃，可面子上又實在過不去。唉！我堂堂七尺男兒，竟然淪落到向婦人乞食的地步，悲哀啊！

向前走了幾步，又緊握拳頭退了回來。萬一她把我當成流氓怎麼辦？那我可跳進長江也洗不清了！

一口飯難倒英雄漢，介子推割肉，秦瓊賣馬，楊志賣刀，落魄的鳳凰不如雞呀！

終於，還是麵包戰勝了面子。伍子胥鼓起勇氣，走上前去，結結巴巴地說道：「姐姐，可以給我點兒吃的嗎？我的肚子實在餓得不行了！」

那浣紗女低著頭，害羞地道：「我一個人與母親生活在一起，年近三十尚未出嫁，從小到大，從未和一個男人親近過，我的飯可不能隨便給你這個陌生男子吃，傳出去就不好了。」

伍子胥說：「姐姐此言差矣，救濟一個境遇窘迫的人少許飯食，怎麼會招來閒言閒語呢？」

那女子抬起頭來，只見身前立了一個高大男子，一襲白衣，滿頭白髮，分明是個老頭，當下氣壞了：「討飯就討飯，你這人年紀一大把，幹嘛胡說八道？明明是個老頭兒，卻開口叫我姐姐，羞也不羞？」

伍子胥一愣，哭笑不得，趕忙撥開長髮，露出俊朗的面容，笑道：「姐姐誤會了，我雖遭變故，白了頭髮，年紀卻是不大。」

那女子不看不要緊，一看，心撲通撲通跳了起來。

眼前之人，劍眉星目，氣質卓然，高大的身軀雄偉挺拔，飄然的白髮更顯英姿，滿臉的風塵遮不住驕傲的神情，歷經磨難的面龐更添幾分成熟的魅力！天哪！這世上竟有如此完美的男子……哦！我要暈了！

「姐姐，妳怎麼了？別生氣，別生氣，大不了我不吃就是！」伍子胥拉起王孫勝，慌忙離開。

「站住！算了，你吃吧！」說著，那女子打開裝便當的竹筐，盛上飯和湯，直身跪地，莊重地遞給伍子胥，然後躲在一旁，偷眼瞄他。

伍子胥被看得有點不好意思，只吃了兩碗就不吃了。

女子見狀又說：「先生還有很遠的路要走，爲什麼不飽吃一頓呢？」

伍子胥當下不再客氣，狼吞虎嚥一番，而後站起身來說：「蒙姐姐活命之恩，恩在肺腑。跟妳說句實話吧！我是個通緝犯來的。要是別人問起來，千萬別說碰過我，好嗎？」

女子一聽，心頓時拔涼拔涼的——我的命好苦啊！一輩子從沒動過心，好不容易碰上一個帥哥，偏偏又是個通緝犯。看來我和他是有緣無分了！

伍子胥見她面如土色，不發一言，忙道：「姐姐，妳又怎麼了？別怕，我雖是個通緝犯，卻是遭人陷害，並非惡人。妳就當沒見過我，那就什麼事兒都沒有了。」

女子淒然歎道：「唉！我單身了三十年，一直以貞節自勉，不願嫁人。剛才怎麼可以跟一個陌生男子聊天，還和他一起吃飯呢？這已逾越禮儀，虧損婦道，我自己也不能容忍。你走吧！讓我冷靜一下！」

伍子胥欲言又止，躬身拜了一拜，告辭離去。

待伍子胥走遠後，那女子頹然委地，望著溪水中的倒影，顧影自憐：「想我孤苦半生，一直孤芳自賞，沒想到今日被不知姓名的陌生男子打破了無波的心湖，幾乎不能自持。可憐！小女子我好可憐啊！」說完，浣紗女站起身來，脫去鞋襪，工工整整地擺好，以紗裹身，抱起一塊大石，縱身跳進了湍急的流水之中。

伍子胥方走不遠，心下驚顫，感覺不對，連忙跑了回來，但見流水潺潺，只有岸邊擺著那女子的一雙鞋襪，無言地訴說著剛才發生的一切。

「天哪！」他一聲長歎，感傷不已，咬破手指，在溪邊的大石上以血書道：爾浣紗，我行乞；我腹飽，爾身溺。十年之後，千金報德！寫完之後，怕被別人發現，又用土將石頭埋了起來。

十年之後，伍子胥功成名就，襲破郢都，返回吳國時路過此地，想起舊事，挖出大石，上面的血字歷歷在目，居然沒有一點磨損。他守信諾，於是將千兩黃金投入瀨水之中，至今名其水爲投金瀨，或稱「黃金港」。

這個故事，正是「千金小姐」的由來。李白並爲此寫了一首《浣紗女碑銘》：

子胥東奔，乞食於此，女分壺漿，滅口而死。
聲動列國，義形壯士，入郢鞭屍，還吳雪恥。
投金瀨江，報德稱美，明明千秋，如月在水。

關於伍子胥投入的千兩黃金，後來還眞有人在瀨水中撿到過。據專家考證，這種玩意叫「郢爰」，乃是楚國的金幣，也是我國最早的黃金貨幣。不過，估計早已被人撿光，做發財夢的讀者恐怕要失望了。

4 我要作秀

簫聲哀切，幽怨動人，可惜伍子胥在楚國有名得很，在吳國卻沒啥知名度。幾天下來，錢賺了不少，可真正目的沒有達到。而他真正的目的，是要見一個人。

吳國都城，梅里。繁華的鬧市人流熙攘，一個素袍白鬚的高大男子走在其中，披散著頭髮，光著雙腳，滿臉污穢，正沿街乞討。

這個男子不是別人，正是我們的主人公，白髮魔男伍子胥。

他這副模樣，倒是有幾分像金庸大俠筆下的丐幫幫主洪七公，怪不得後世乞丐們找了伍子胥當他們的祖師爺。

三百六十行，每一行都喜歡追求名人效應，比如木匠尊魯班爲祖師爺，屠夫尊張飛爲祖師爺，唱戲的尊唐明皇爲祖師爺，就連色情產業都找了個呂洞賓當祖師爺——

他們當然不管別人答不答應，只要能沾得上邊，越有名越好。

莫名其妙成了丐幫的祖師爺，恐怕兩千年前的伍子胥是無論如何也想不到。

不過，他怎麼說也是一個堂堂的大帥哥，怎麼會變成這副模樣？

原來，他在吳國無親無故，根本找不著人幫忙引薦，不得已，只好假裝癲狂，吸引有心人的注意。

可或許是世道太亂，無家可歸的乞丐太多，這招不太靈，不僅完全沒有人注意，過往的路人偶爾還拋來一絲鄙夷：高高壯壯、好手好腳的，做什麼混不了一口飯吃，偏要去做乞丐這種沒有一點兒技術含量的低下工種？真丟人！

落得如此地步，伍子胥一定鬱悶死了吧！換做是秦瓊、楊志，恐怕這個時候就要淒淒慘慘地開始賣自己的祖傳寶物了。

對了！他身上不是還有一把父親伍奢留下來的七星寶劍嗎？伍子胥偏不！這是父親留給他的唯一遺物，餓死也不賣。

於是，他決定吹簫賣藝。不是說我乞討一點兒技術含量都沒有嗎？那我就給你們展示一點兒高難度、高技術的手藝！

「第一個節目，自創曲演奏。作詞作曲：伍子胥、演奏：伍子胥、演唱者：芈勝。」王孫勝用他那稚嫩的童音報起幕來。

伍子胥取出一枝竹簫，嗚嗚地吹，王孫勝則在一旁唱道：

伍子胥，伍子胥，跋涉宋鄭身無依，千驚萬恐淒復悲！父仇不報，何以生為？

伍子胥，伍子胥，昭關一度變鬚眉，千驚萬恐淒復悲！兄仇不報，何以生為？

伍子胥，伍子胥，蘆花渡口溧陽西，千生萬死及吳陲，吹簫乞食淒復悲！身仇不報，何以生為？

簫聲哀切，幽怨動人，人們開始爭先恐後地往破帽子裡扔零錢。可惜伍子胥在楚國有名得很，在吳國卻是沒啥知名度，圍觀的人一個也不認識他。幾天下來，錢賺了不少，可是他依舊很鬱悶，因爲眞正目的沒有達到。

他眞正的目的，是要見一個人。

那個人，就是吳國的王，吳王僚。

要見吳王僚可不是那麼容易的，這得需要一個人幫忙穿針引線。找出這個人，才是伍子胥辛苦作秀的眞正目的。

皇天不負有心人。幾天後，這個人終於出現了！他是管理吳國農貿市場的城管隊隊長，被離先生。

被離先生的日常工作，就是維持市場秩序，還有收收稅什麼的。除了本職工作外，他還有一個業餘愛好，就是給人看相。一見看到伍子胥，他立馬驚呆了，心想：我被離一輩子給人看相，閱人無數，卻從來沒有見過這等奇貌！莫非他就是傳說中的異國亡臣？

「星探」被離馬上將此事稟告吳王僚，「我在市場上看到了一個鶴髮童顏的江湖高人，大王您一定有興趣見一見。」

吳王僚大喜，被離於是帶著伍子胥進宮謁見。

且說吳王僚一見伍子胥，就被他的雄偉相貌傾倒了。看來不管男人、女人，大多都是外貌協會的，長得帥就是好啊！

兩人一聊就是三天三夜，吳王僚對這個白髮酷哥欣賞之極，聽伍子胥說對楚國君臣恨之入骨，立刻答應興師伐楚，爲他報仇。

眼看願望就要達成了，想不到此時突然跑出一個人，高唱反調。

這個可惡的第三者，是吳王僚的堂兄，公子光。

公子光爲什麼要阻撓這件事？

倒不是因爲他膽小怕事，不敢攻打楚國，而是因爲他也看上了伍子胥，想要這個智勇雙全的白髮魔男先幫助自己幹掉吳王僚。至於報仇的事情，他公子光一樣有力量達成，並且能做得比吳王僚更好、更漂亮。

怪了！公子光爲什麼一定要幹掉自己的兄弟？

這事兒還得從頭說起。可從頭說起的話，就得扯得遠嘍！爲了說得足夠清楚，咱們有必要把時光再往回撥個兩千年，將吳國的祖宗十八代全拉出來說道說道。

第3章

嗜血的王冠

季札要求欣賞周樂，一則是為了表示自己嚮往中原文化，不是普通的鄉下人；二是為了顯擺自己的博學多才和藝術修養，從而打響知名度。一句話，他想紅啊！

1 遙遠的傳說

姜原認定這嬰兒是個怪物，把他扔在結冰的湖面上，心想，你這個怪物活不了了吧！沒想到天上突然飛來無數大鳥，張開翅膀蓋在嬰兒身上，結成天然大被。

要講述白髮魔男伍子胥的復仇之路，吳國的歷史是繞不過去的。那段艱辛的建國史，正是吳人養成剛烈不屈、輕死好勇性格的根源所在。

話說很久很久，久得無數久以前，大概在西元前二十三世紀左右，有邰氏部落酋長有個女兒叫姜原，是三皇五帝之一的帝嚳（音庫）的正妻。

一日，姜原出外郊遊，偶然發現地上有個巨大的腳印，很好奇，就走近認真觀賞。看著看著，心中突然產生一種奇怪的興奮感，情不自禁伸出腳來踩踏了一下。想不到這一踏，竟立刻全身顫抖，感到一陣暖流通過身體，十分異樣。

回家之後，她發現自己居然懷孕了，很害怕，擔心背上淫蕩的罪名，連忙跑去找族裡的巫師詢問。

巫師作法通神了一番，回答說：「妳本來是個純潔的女孩兒，但是踩踏了天帝的腳印，所以天意要妳懷孕，生下這個孩子。」

十個月之後，姜原與大腳印的小孩出生了，是個大胖小子，長得肥嘟嘟的，一點兒也不像天帝。

姜原認定這個嬰兒是個怪物，便把他扔到大街上，但經過那裡的牛馬發現這個孩子，全都吃驚地掉頭就走，非但不踩，連靠近都不敢。姜原不死心，又將小孩扔到山裡，卻正巧趕上樹林裡有許多砍樹的人，只好再挪了個地方，把他扔在結了冰的湖面上，心想，現在你這個怪物活不了了吧！沒想到天上飛來無數大鳥，張開翅膀蓋在嬰兒身上，結成一張天然大被，爲他保暖。

姜原服了，覺得這太神異了，終於改變心意，將孩子抱回來。由於起初想把他扔掉，所以就取名叫棄。

這故事顯然是個神話，要是踩腳印能生小孩，還要男人做什麼？原始社會男女關係混亂，人們就像兔子一樣可以隨意交配，孩子他爹比較難認定，事情說不清楚，只好編一個神話來唬弄人。

這樣做還有一個好處，讓人覺得自己這一家乃是應運而生，老天爺的後代，自然可以高人一等，當上天下之主，老百姓們只有抬起頭來斜向上四十五度角羨慕敬仰加乖乖聽話的份兒。

不管小朋友棄是不是什麼神仙與人的雜交品種，他都是個神奇的天才兒童。據說，此人從小便精通植物學，經他種出來的桑麻、五穀都長得極為茂盛。長大之後，他開始考察山林、川澤、丘陵，研究不同土質和地勢最適合種植什麼樣的農作物。不久，他就成為遠近聞名的種植能手、農業專家，各地的粉絲都慕名前來求簽名、請教。

當時堯帝執政，因遭受洪水的災害，老百姓流離失所，紛紛遷居到高地聚居。堯帝聽說棄這個小夥子精於農業，於是專程拜訪，任命他為「農師」，教老百姓依山而居，隨地造屋，建立村落，鑽研耕種之道，帶領大家共同致富，共創富裕社會。

過了三年多，老百姓都過上了幸福的生活，臉上再也看不到饑餓貧乏的神色了。新任領導人舜帝於是將邰（今陝西省武功縣西南）這個地方分封給他，號為后稷，賜姓為姬。

這位有著后稷稱號的農業天才，正是農業民族周族的祖先，吳國的始祖。

后稷之後，夏王朝統治時期，周族又出現另一位偉大的首領，公劉。

據《吳越春秋》記載，這個人善良得有些誇張，走路都不踐踏鮮嫩的野草，駕車時總是避開初生的蘆葦。

周族此時雖然和戎狄人比鄰而居，也從事一些畜牧業，但種地畢竟是他們的老本行，所以公劉一心想重振傳統農業。爲了實現自己的理想，他努力奮鬥，一天到晚忙個不停，四處巡行，考察耕田，因地制宜，種植莊稼，並率領族人經漆水、沮水，挺進渭河流域，伐取木材以供使用，使得出門的人有旅費，居家的人有存款。

後來，爲了更進一步發展農業，公劉又帶領著族人遷徙到了豳（音賓）邑（今陝西邠縣）。《詩經大雅．公劉》便記敘了公劉趕走豳邑原先的戎狄部落並白手起家的全部過程，翻譯成白話文，大意如下：

好心的公劉，他不敢安居只顧忙。
忙著修田界，忙著穀進倉。
乾糧預備好，用各種袋子裝。
大家和睦美德揚。
弓箭齊武裝，盾牌、長矛、板斧手上晃，邁開腳步向前方。
好心的公劉，察看了這塊好地方。

選地人丁要興旺，建房要民心歸順又舒暢，沒有隱患來潛藏。
他一會兒上山坡，一會兒走到平原上。
腰裡帶著啥東西？美玉和寶石，還有裝飾的佩刀在裝樣。
好心的公劉，來到眾多水泉邊，觀看平原的寬廣。
他登上南邊的山崗，發現了個叫做京師的好地方。
京師之地多遼闊，於是搞起了房地產，要建經濟適用房，
談笑風生好熱鬧，到處鬧嚷嚷。
好心的公劉，在京邑安家已停當。
走路輕快好繁忙，叫群臣就座來入場。
待到賓主都坐定，命令開始祭先王。
把豬趕出來宰殺，用瓢舀酒漿。
有吃又有喝，公劉為君王。
好心的公劉，開闢土地寬又長，觀測日影上高崗，
山南山北勘察忙，看看流泉去哪方。
把軍隊分成三組來駐防，窪地平地都測量，開出田地種食糧。
山的西面也丈量，豳人的土地真寬廣。

好心的公劉，在豳開始建屋房。
橫渡渭水河，開辦採石場。
房基牆腳都修築，歡歌笑語蓋屋忙。
住在皇澗岸，面向過澗邊。依山靠水地塊好，定居大眾人丁旺。

這首詩寫得很清楚了，這是周族的一次大規模武裝殖民。公劉先生趕走了當地土著，搶得了豳邑這塊好土地，所以各族的人都跑來買房買地投靠他。周族的興旺發達，就是打這時候開始的。

從這段傳說，我們也可以看出，后稷和公劉時代正是中國農業文明發源的時期。同為文明古國之一，這個時候的古埃及，大概處於底比斯王統治時期，全國正在大規模地修建金字塔。而稍晚一些的古巴比倫文明，農業民族閃族正當興盛。不久，漢摩拉比大帝將頒佈人類第一部較完備的成文法典——《漢摩拉比法典》。

2

紅鳥銜丹書，孔雀東南飛

季歷娶太任氏為妻，生了一個兒子名叫昌。太任臨產時，有一紅色小鳥銜丹書飛來，書上預言，這個叫昌的神奇寶寶將為周族取代商王朝，成為天下之主。

公劉九代之後，大概在商王朝統治時期，周族又出了一個出色的首領，叫做古公亶父。當時，遊牧民族薰鬻族（戎狄的一支）很囂張，經常出兵攻打周族。古公亶父先送去犬馬牛羊，可狄人不滿足，又來侵擾。

古公亶父接著又送去皮帛、珠寶，狄人還是不答應。

古公亶父問：「你們到底想要什麼？」

狄人回答：「想要你的土地，搞房地產啊！」

周人很生氣，都想奮起反擊趕跑侵略者，古公卻說：「作爲一個好幹部，不會因爲這本應養育人民的土地，來危害這塊土地所養育的人民。現在戎狄前來侵犯，目的是爲了奪取我的土地和百姓。百姓跟著我，或跟著他們，有什麼區別呢？百姓爲了我的緣故去打仗，犧牲了他們的父子兄弟，我又有何顏面當他們的君主呢？我實在不忍心這樣幹。」

他要帶領族人離開豳地，翻越梁山，到岐山腳下居住。但是豳邑的老百姓們就是想跟著古公混，這樣體貼的老大，到哪兒去找啊？於是他們扶老攜幼，帶著炊具，死皮賴臉非要跟著走。

其他部落聽說古公這麼仁愛，也有很多來歸從他。

於是，古公廢除了戎狄的風俗，營造城郭，建築房舍，把民衆分成邑落，定居下來。一年之後，建設出一座小城，兩年之後成爲一座大城，岐周的老百姓增長到建國初的五倍。

這一段上古的歷史，出自《史記．周本紀》和《吳越春秋》。在這裡面，古公亶父被描寫成一個尊重生命、愛惜百姓，不惜放棄富貴的慈愛領袖。但是，咱們仔細想想，上古時代關於土地和人口的爭奪，是否眞的如此溫情？

《詩經大雅．公劉》已經描寫得很清楚了，豳邑這塊地方，原先就是古公的老祖先公劉從戎狄人那裡搶來的。由此可見，戎狄人之所以要攻打他們，只是想要回原本屬於自己的土地。

依我看，這個歷史事件八成只是古公的政治秀，事實真相是根本打不過戎狄，不得不遷到岐山，投靠強大的商朝，以尋求保護。

《竹書紀年》中有載：「（商王）武乙六年，邠遷岐周。命周公亶父，賜以岐邑。」可見岐邑這塊肥美的土地，乃是商王朝賜給周人的封地。商王之所以要這麼做，就是爲了利用已經被戎狄化了的周人，去對付桀驁不馴的戎狄人，所謂驅狼鬥虎之計。不過，這著棋下錯了，驅狼鬥虎最後變成了養虎爲患，後來周族越來越強大，結果反客爲主，滅掉商朝，取而代之。

《詩經魯頌．宓宮》載：「后稷之孫，實維大王。居岐之陽，實始翦商。」說得更是清楚之極，古公率民住在岐山陽，就開始準備實力翦滅殷商了。

古公所處的時代，正是世界農業文明和畜牧文明矛盾日益衝突的時代。周族與戎狄的衝突，以及同時期希臘與特洛伊的戰爭，實際上都是這一種矛盾激化的結果。

衝突之後，農業文明最終取代了畜牧文明，成爲世界文明的主流。

說了大半天周朝的發家史，大家想必納悶了，這書寫的不是吳國嗎？怎麼老扯沒用的東西？

其實，吳國雖然處在水網密佈的江南，但它的創始人，卻是從陝西周族離家出走的兩個倒楣孩子。

據《史記．周本紀》和《尙書．帝命驗》記載，古公亶父有三個兒子，長子名太伯，次子名仲雍，少子名季歷，但他當時不叫這個名字。季歷娶太任氏爲妻，生了一個兒子名叫昌。太任臨產時，有一紅色小鳥銜丹書飛來，停放在太任產房門上，書上預言，這個叫昌的神奇寶寶將爲周族取代商王朝，成爲天下之主。

又是一個帝王神話，我看八成是季歷玩的鬼把戲。

不管是不是這傢伙搞的鬼，反正就因爲所謂的「聖瑞」，讓古公對這個小孫子另眼相看，寵愛有加。他說：「能夠復興大周王業的人，大概就是我們小昌了吧！」因而才將自己的少子改名爲季歷。

所謂歷，就是嫡的意思。按照宗法制，季歷不是嫡長子，本來是沒有繼承君位資格的。古公在這個時候說這樣的話，改這樣的名，意思已經昭然若揭了。

太伯和仲雍兩兄弟知道了父親的意思之後，發揮了大公無私的偉大情操，藉口入深山採藥，帶著族人逃到荊楚南蠻之地（今江蘇浙江一帶，那時候還屬於蠻荒之地，古老的百越民族生活在此），紋身斷髮，以表示自己不能再在宗廟主持祭祀。

紋身斷髮，太伯和仲雍兩兄弟還眞是表現得決絕啊！頭髮也不要了，刺青也刺上了，把自己裝扮成流氓老大一般，硬是不想要那個噁心的繼承權。

「紋身斷髮」實際上是什麼意思呢？

根據《史記集解》記載：「常在水中，故斷其髮，紋其身，以像龍子，故不見傷害。」這說的是東南民族百越的習俗。斷髮是爲了方便在水中活動，因爲經常要潛水捕捉魚蝦，頭髮太長，很容易被水中水草纏繞，導致溺水身亡。紋身以像龍子，則是一種圖騰崇拜，藉此期望得到保佑，希望在水中打魚時能少受傷害。龍子應該是水中捕獵的高手，類似鱷魚。

看來，那時候的百越族，還處在生產力水平極低的原始社會。老百姓大多以漁獵爲生，農業對他們來說，是無比新鮮的概念。

就這樣，走了倆哥哥，季歷正式當上周王，改稱王季，而他的兒子昌，就是日後那個鼎鼎大名的周文王。

對於這件高尚得有點離譜的讓國事件，至聖先師孔老夫子是這麼評價的：「泰伯，其可謂至德也已矣。三以天下讓，民無得而稱焉。」

泰伯即太伯，兩字通假。三讓意爲：泰伯出走，一讓天下；古公死後不回來奔喪，以便讓季歷繼承王位，二讓天下；季歷死後也不回來，以便讓姬昌繼承王位，三讓天下。整句話翻譯過來，意思是：「泰伯，那可以說是具備至高無上的品德了。三次讓出天下，老百姓簡直找不出恰當的語言來讚美他。」

敬仰得都找不出恰當的語言來讚美了，孔子絕對是太伯的粉絲。

也就因爲孔子的這句話，後世儒家對太伯的行爲同樣推崇備至，如晚唐著名詩人陸龜蒙在《和襲美太伯廟》中就曾寫道：「故國城荒德未荒，年年椒奠濕中堂。邇來父子爭天下，不信人間有讓王。」

也許是我這個人心裡太陰暗，「不信人間有讓王」，我還眞就不相信太伯是心甘情願讓出王位的，這不但違反人性，還違反了當時的社會生產條件。

太伯讓國這件事發生在商朝末年，此時，中國的奴隸社會制度已經發達了，國君這個最大的奴隸主，擁有大量財富和各種特權，如此好的事兒，怎麼會說讓就讓呢？要是這事兒發生在三代以前的堯舜時期，那我還相信幾分，因爲那時候的氏族領袖，過得比老百姓還不如呢！

退一萬步說，就算太伯的覺悟本來比較高，人家天生就比較大方，這裡還有一件事情說不通。要知道，當時周族正處於需要擴充實力同殷商王朝作戰的時候，太伯和仲雍帶著族人離去，無疑會使周族的實力被削弱。

就算太伯寧願把國君的位子讓給季歷，他也完全沒有必要逃到千里之外，去到對於周人而言自然環境十分惡劣的荊蠻之地。他們完全可以留在本部落內部協助季歷，這才符合大局利益。

因此，我認爲，這段語焉不詳的上古記載，隱藏了一段極其殘酷而驚人的歷史：爲了爭奪王位，周族內部的太伯、仲雍等部族聯合起來，同季歷的部族發生了一場驚心動魄的爭鬥，甚至是戰爭。季歷的部族最終取得勝利，將太伯、仲雍部族趕出周地。

只有這樣，才能比較合理地解釋，太伯和仲雍爲什麼要帶著族人遷徙到鳥不拉屎的蠻荒之地去。失敗者總是逃得越遠越好，否則勝利者遲早會打過來，斬草並除根。

太伯和仲雍逃到了荊楚蠻荒之地後，肯定也經過一番艱苦的爭鬥和廝殺，最後，當地的百越族土著被周族人收服，太伯於是自立爲君，國號句吳（跟句踐的句一樣，此為吳語發聲詞頭，無實際意義），簡稱吳（今江蘇省太湖旁邊的無錫、常熟一帶）。從此，吳地的老百姓在周族的教化下，漁獵之外，也從事起農業來。

爲什麼太伯要將國號定爲「吳」？

有一種說法認爲：「吳」字其實就是「魚」字。在中國古文中，鯱、五、魚、吳四字爲同音字。那時，太湖一帶河道縱橫交錯，初民們以漁獵爲生，泰伯和百姓便把魚作爲「圖騰」，乃至國號。吳地崇魚、喜魚的習俗傳至今日，每逢過年，家家門上貼掛魚圖，以示年年有餘，在房門上貼掛「鯉魚飛躍圖」，以示「鯉魚跳龍門，全家交好運」。

但根據《吳越春秋》記載，太伯之所以這麼做，是因爲跟他一起逃亡的弟弟仲雍又名吳仲，而太伯沒有子嗣，於是將國號定爲「吳」，好讓吳仲繼承君位。

另據《史記．周本紀》記載，仲雍除了名吳仲外，還有一個名字叫虞仲。今天江蘇常熟有座虞山，據說就是他死後所葬之地。

此外，今日江蘇的泰興和泰州，就因爲曾是泰伯的屬地，地名才有這個泰字。據說，太湖的名字也是打這兒來的。

稍早一些時候，希伯來部落酋長摩西，率領他的人民，從已居住了四百三十年的埃及出走，進入流著奶與蜜的迦南（今巴勒斯坦），開創了信奉一神的猶太教。將這件大事與太伯、仲雍出走吳地相比，似乎有著驚人的巧合。

3 謙讓是一種美德

吳王諸樊當上國君後只想幹一件事兒，那就是跟楚國拚命。倒不是因為他跟楚國有深仇大恨，而是他想在激烈的戰爭中把自己的命給拚掉，讓季札早點上台。

吳國的歷史，從這裡開始就沒沒無聞了。歷西周一世及春秋時代的前半部分，史書對吳國的記載都是簡而又簡，除了歷任國君的名字，這國家好像被這個激盪的時代遺忘了一般。

太伯的後人也是周族大家庭的一分子啊，為什麼數百年來都不和中原各國聯繫交往呢？是交通不便，還是吳國的世系根本就是僞造的？這裡面，留給大家巨大的想像空間。

到了西元前五八四年左右，吳國卻突然崛起，開始在春秋舞台上嶄露頭角。吳國的第十九代君主壽夢像個幽靈一般橫空出世，自稱為王，四面侵略，先攻打晉國的小弟郯國（今山東省郯城縣北），後又侵擾楚國的小弟「州來」（今安徽鳳台縣），搞得大家暈頭轉向：這傢伙是從哪裡冒出來的？以前怎沒聽說過？

在所有人都比較暈的時候，晉國先從混亂中回過神來，向吳國派出了一個特殊的使臣，那就是在晉楚爭霸中起決定性作用的重要人物，巫臣。他將中原先進的車戰之法帶到吳國，並教唆吳國和晉國一起對付楚國。

這就是晉國的遠交近攻之策。太妙了！在晉吳的聯手摧殘之下，楚國霸業漸衰，從此再也無法專心用兵中原，陷入兩線作戰的困境。

吳王壽夢在位二十五年，也跟楚國打了足足二十五年的仗。正是在他的手裡，鳥不拉屎的吳國日益強大，給日漸沉悶的春秋霸局增加了一支朝氣蓬勃的生力軍。

西元前五六一年，吳王壽夢病危將死。

他有四個兒子，分別叫諸樊、余祭、余昧、季札。其中以季札學問最好，人品也最好，壽夢於是想讓他當自己的接班人。

這一點就做得不對了。古公當年將王位傳給小兒子季歷，那是因為商朝末年時，宗法制度還沒有完全建立，但是到了春秋末年，周朝的宗法制已經形成了一個行之有效的系統。總體來說，周朝宗法制中注重的嫡長子繼承制，比之於商朝時注重血統關係的親親制度，還是有它的先進性。這樣做能杜絕諸子和諸弟的繼承權，從而解決王位繼承中因名分不定而產生的禍亂紛爭，規範統治階級內部的權力分配，保證穩定和團結。

正因爲嫡長子繼承制有利於封建制度的穩定與發展，所以各諸侯大都嚴格地遵循。跟這個制度較勁的人，大多沒什麼好下場。從前的一代霸主齊桓公，正是因爲違背了它，所以晚節不保，落得個淒涼而死的可悲結局。

壽夢卻好像完全不懂得這一套，非要把國君的位子傳給小兒子季札。這說明周禮在吳國沒有一丁點兒的生存空間。多年不與中原來往，原先的周族後人早已被當地的蠻夷土著給同化了。

作爲當事人，季札對這件事的看法卻出乎大家的意料。

小夥子雖然生長在蠻夷之地，但從小就對周禮十分嚮往，覺悟可不是一般的高，一聽說父親想要讓自己當王，死活不肯答應。

他說：「天下間周禮最大，怎麼能因爲父子之間的私情而犯禮法？我不能當王！誰讓我當王，我就跟他急！」

季札覺悟高，本應繼承王位的壽夢嫡長子諸樊當然也不能落於人後。

諸樊這麼說：「你不當，我更不能當！當年周太王古公亶父認爲周文王聖明，想把王位傳給少子季歷，我們的祖先太伯因而讓賢，逃到荊蠻之地，建立了吳國，周王朝得以興盛。我身為太伯的光榮後代，一定要繼承先人的優良傳統，退位讓賢，離開宮廷，去鄉下種地！」

兩個人你謙我讓，吵個不停，病得暈乎乎的壽夢頭更加疼了。這倆小子誰也不肯當王，那我辛辛苦苦建立的基業，由誰來發揚光大呀？不行，我得想個辦法。

左思右想，他終於找到了一個絕妙的方案，說：「別爭了！諸樊，你來當王，不過你要答應老爸一句話，這國君的位子一定要按照你們四兄弟的次序傳下去，直到傳給季札為止。」

說完這個遺囑，壽夢已經耗盡了所有的心力。開創吳國霸業的一代雄主，就這麼雙腿一伸，死了。

壽夢死後，諸樊和吳國的百姓仍不肯放棄，一個勁地要求季札來當最高領導人。季札被他們搞得心煩意亂，神經衰弱，一氣之下乾脆離家出走，真跑到鄉下種田去了，死活不肯回來。

他還說：「求求你們，饒了我吧！我真的不想當你們的國君！」

大家無奈，只好放棄，諸樊正式當上吳王。

吳王諸樊當上國君後，一心只想幹一件事兒，那就是跟楚國拚命。倒不是因為他跟楚國有什麼深仇大恨，而是他想在激烈的戰爭中把自己的命給拚掉，這樣一來，季札就能早點上台了。

可是這事兒怪了，無論諸樊打仗怎麼輕死犯勇，就是死不了。他急了，轉而故意怠慢鬼神，不事祭祀，仰面對天，祈求速死。

西元前五四八年，諸樊終於如願以償，要死了。臨死之前，對繼任的二弟余祭留下遺言：「一定……一定要把國家傳給季札。」

余祭於是找到季札，死活要把延陵（今江蘇武進市）封給他，好讓他熟悉政務，爲當王作準備。季札無奈，只好從鄉下回來當官。因爲封地在延陵，所以世人都尊稱他爲「延陵季子」。

余祭當上吳王後，不但老和北邊兒的楚國開戰，還經常攻打南方的越國，就想學他大哥一樣想早點死掉，讓季札早點上位。

西元前五四四年，吳國又去攻打越國，抓到一個俘虜，砍了他的雙腳，派去看守船隻。一次，余祭去戰船上視察工作，喝醉酒後就在船艙中休息，沒想到那個越國俘虜趁機偷偷爬了過來，解開佩刀，將他給暗殺了。

余祭死後，吳王位傳到了三弟余昧手裡。他知道自己下面就該輪到季札了，便又將季札任爲國相，大事小事都交給他。

季札怕余昧死得太快，將那該死的王位留給自己，便建議交好中原，不要動不動就打仗。余昧答應了。

於是，季札開始對中原各國進行了一系列的友好訪問。這一連串的外交活動，不但讓吳國度過了幾年安定團結的平靜時光，還讓季札在列國之中聲名鵲起，成爲和當時齊國晏子、魯國孔子、鄭國子產還有晉國叔向等人齊名的大賢。

可以這麼說，季札是中國春秋時期唯一的文化使節，放眼世界外交史上，也是第一個從事此一活動的人物。

此事乃是春秋文化外交史上的一個重點，必須好好地介紹。

4 觀樂大典

季札要求欣賞周樂，一則是為了表示自己嚮往中原文化，不是普通的鄉下人；二是為了顯擺自己的博學多才和藝術修養，從而打響知名度。一句話，他想紅啊！

季札訪問的第一個國家，是魯國。

魯國是個二等國家，在國際事務中並不重要。可由於它是周朝標誌性人物周公旦的封地，繼承了文物典章的正統，特別在春秋社會大動盪時期，始終以禮樂之邦著稱，乃文化薈萃之地。季札選擇這個國家作爲國事訪問的第一站，自有其深意。

經過數十天的跋涉，季札終於來到魯都曲阜，見到了魯國執政叔孫穆子。穆子很欣賞他，兩人相談甚歡。

會談中，季札提醒穆子說：「你要小心啊！我聽說君子應該選賢擇能，可你這個人心眼雖好，卻不善於用人。再不注意，禍患遲早會降臨到頭上。」

季札的話後來眞的應驗了，六年後，也就是魯昭公四年（西元前五三八年），穆子被寵信的家臣豎牛幽禁，活活地餓死在家中。

季札和穆子聊完天後，提出要求，說想見識一下聞名已久的周樂。

所謂周樂，就是周朝大聖人周公旦所製作的禮樂，是周禮的一個重要組成部分，包括虞、唐、商、周各代樂舞。這些都是周天子的禮樂，在吳國這樣的偏遠國家根本聽不到，魯國則沾了周公的光，應有盡有。

打個可能不太恰當的比方，這周樂就相當於現在的歌劇之類的高雅音樂，不像流行歌曲，沒有一定文化水準的人根本欣賞不了。

季札忽然要求欣賞周樂，一則是爲了表示自己嚮往中原文化，不是一個普通的鄉下人，而是一個有理想、有追求的文藝青年；二則是爲了顯擺一下自己的博學多才和藝術修養，從而打響知名度。一句話，他想紅啊！不但要靠周樂來炒作一下自己，同時也藉此提高吳國的國際地位。

季札首先欣賞了「革命歌曲」《周南》和《召南》。

周朝的歌曲有兩種，一種叫弦歌，一種叫徒歌。弦歌有伴奏，徒歌沒有伴奏。《周南》和《召南》是《詩經》的頭兩篇，屬於弦歌，所以都有伴奏。因爲是周禮奠基人周公旦和召公自北而南從岐周傳到江、漢之地的，故名爲《周南》和《召南》。

季札搖頭晃腦地品評起來：「美哉！瞧這歌詞寫的，多好哇！周朝的王業開始奠定基礎了。雖然還沒有完成，百姓還是勤勤懇懇，沒有怨言。」

果然是牛人，聞弦歌而知雅意。

魯國人碰到了知音，大喜，接著又爲他演唱了《邶風》、《鄘風》和《衛風》。邶、鄘、衛這三個國家本來是殷紂王畿，後來都併到了衛國之中。

學問深厚的季札又一下子猜中了正確答案，他說：「美哉，淵乎！憂而不困者也。我聽說衛康叔、衛武公的德行就像這樣，這大概就是《衛風》了吧！」

衛康叔、衛武公是衛國的兩個著名君主，康叔是周公的弟弟，開創了衛國的基業，武公則在褒姒之難中幫周平王趕走犬戎，算是衛國革命先輩。

魯國人接著又演唱了《鄭風》。

季札皺著眉頭道：「美哉！但是它瑣碎得太過分了，百姓是不能忍受的。這大概就是鄭國要先滅亡的原因。」

鄭國民風開放。《鄭風》講的大多都是男女之間的情啊愛啊之類的瑣事，有關政治的極少。按照孔夫子的說法，叫做「鄭聲淫」。季札認爲，這靡靡之音就是亡國之音。風化如此敗壞，遲早是要亡國的。

這個看法老實講就有點片面了，鄭國之所以滅亡，和它的地理位置有重要關係。處在晉國和楚國這兩大火藥桶子中間，能不被搞死嗎？

「叮咚！答對了，加十分！」魯國人誇獎季札一番，又接著爲他演唱《齊風》。季札忍不住大聲叫起好來：「美哉！泱泱乎！這是大國的音樂啊！作爲東海表率的，大概就是姜太公的國家吧！嗯，這個國家的前途不可限量。」

魯國人接著又爲他演唱了《豳風》、《秦風》、《魏風》、《唐風》、《陳風》、《小雅》、《大雅》、《頌》等一系列詩經歌曲，季札不管三七二十一，全都美哉美哉一番，完了又要求觀賞舞蹈。

魯國人被他高昂的興致煩到不行，但又不願意被說小氣，只好繼續滿足他的好奇心和表現欲，接著配合下去。

周樂中的舞蹈可不像現在的迪斯可，可以隨便亂跳，那可都是嚴格規定了動作和伴奏的祭祖舞，跳錯了不但會被人恥笑，而且有辱先王，問題十分之嚴重。從前齊國大夫高厚就是在一次諸侯會盟中跳錯了舞，被晉國盟主認爲「有異志矣」，導致列國聯兵來攻，差點被滅。

如今，有這麼好的學習機會，季札怎麼肯放過？

魯國人先表演了《象箾》、《南籥》。

象，就是象舞，屬於一種軍舞，舞者手執武器作戰鬥狀，乃是十分威武雄壯的舞蹈。至於箾，其實就是樂器中的古簫。簡單說，《象箾》就是以簫伴奏的軍舞。

所謂籥，是一種類似於笛子的樂器，《南籥》就是以笛伴奏的一種文舞，其動作莊嚴肅穆，舒緩大氣。

這兩種舞蹈分別歌頌周文王的武功與德行，季札評價說：「美哉！猶有憾。」意思是說周文王雖然德被萬世，但沒有翦滅殷商，所以仍有遺憾。

魯國人接下來表演的是《大武》。

《大武》乃是歌頌武王伐紂的舞蹈。舞者頭帶冠冕、手持朱盾玉斧而舞，大氣磅礴，且充滿王者之氣。

季札稱讚道：「美哉！周朝興盛的時候，大概就像這樣吧！」

魯國人再來表演了《韶濩》。

《韶濩》乃是歌頌商湯的舞蹈。韶，即紹，意爲繼承發揚；濩，即護，意爲防護。這舞蹈歌頌的是商湯能防護人民，繼承發揚大禹的功業。

季札又評價說：「聖人之弘也，尙且還有慚愧，可見當聖人不容易啊！」意思是說商湯雖然是個聖人，但攻打大禹建立的夏朝，屬於以下犯上，這樣做是不對的——他畢竟屬於周族，自然對周朝的夙敵殷商沒啥好印象。

魯國人繼續表演《大夏》。

《大夏》是歌頌大禹的舞蹈。大禹爲政勤勞，日夜不懈，所以此舞演員均頭戴毛皮帽子，袒露上半身，下身穿著白色短裙。右手持野雞毛，左手持樂器，八人一行，邊唱邊舞，頗爲質樸、粗獷。

季札稱讚說：「美哉！勤勞天下而不自以爲是，除了大禹，還有誰能做得到？」

魯國人最終表演的是《韶箾》。

《韶箾》是歌頌虞舜的樂舞，也就是讓孔老夫子聽完味覺失靈導致三個月品不出肉味的那首名曲。

季札聽了以後反應也不小，熱烈鼓掌說：「功德達到頂點了，偉大啊！像上天沒有不覆蓋，像大地沒有不承載。既然盛德已經到達巔峰，自然不能再有所增加了。觀止矣！若有他樂，吾不敢請已！」

成語「歎爲觀止」，典出於此。

魯國人長長地舒了一口氣，好傢伙，你終於欣賞完了！得咧！俺們知道你厲害，收工吧！

季札得意洋洋地站起身來，迎接著魯人敬佩的眼光。

他紅啦！他眞的紅啦！偉大的吳國大聖人，他繼承了中華民族的光榮傳統，周公旦和吳太伯這一刻靈魂附體！季札一個人，他代表了中國禮樂悠久的歷史和文化！在這一刻，他不是一個人在戰鬥！他不是一個人！

要說季札後來能當上孔子的偶像，那還眞不是蓋的，不但懂得詩經中十五國的音樂和三代的舞蹈，還能從這些音樂舞蹈聽出、看出國家興衰的徵兆來，妙語珠連，議論風生，自然一下子轟動整個文化界。身爲一個遠離周朝文明中心的蠻夷來客，能有如此深厚的學養和歷史知識，眞的很不容易。

5 最靈驗的烏鴉嘴

季札給了一塊白絹大腰帶，子產卻回贈他一件麻布衣服。真小氣！沒有得到心儀的禮物，十分不爽，季札於是烏鴉嘴道：「鄭國的執政者太奢侈，禍難將來臨！」

著名樂評人季札在魯國的「表演」大獲成功後，緊接著又跑去齊國拜訪東方第一大牌心靈導師，晏子——那時候孔子還只是個八歲小屁孩，晏子名氣最大。

適時，齊國剛剛經歷崔慶之亂，政局還不是很穩，季札因而提醒晏子說：「您趕快交還封邑和權力吧！我看齊國還會繼續亂下去，您只有懂得放棄，才能明哲保身，免於禍患。」

晏子聽從了建議，不久就乖乖交出權力。

季札的話後來真的又應驗了。十二年後，也就是齊景公十六年（西元前五三二年），齊國四大家族田、鮑、欒、高打起內戰，晏子因爲保持中立，幸運地沒有受到牽連。

天下第一烏鴉嘴離開齊國後，接著又去「禍害」鄭國。

他和鄭國的第一賢人子產相見恨晚，兩人互相交換「定情信物」，季札給了子產一塊白絹大腰帶，子產卻回贈他一件麻布衣服。眞小氣！

季札沒有得到心儀的禮物，十分不爽，於是又烏鴉嘴道：「鄭國的執政者太奢侈，禍難將要來臨了！政權必然落到您的手中。子爲政，愼以禮，不然，鄭國將敗。」

後來的事兒不用說，大家都知道，季札的烏鴉嘴一向都是很準的。三十四年後，也就是鄭獻公十三年（西元前五一〇年），鄭獻公逝世，兒子聲公勝即位。正在這時候，晉國六卿強盛了，屢屢侵奪鄭國領土，國勢開始衰落。

季札離開鄭國後，北上來到衛國，與蘧瑗、史狗、史鰍、公子荊、公叔發、公子朝等衛國小賢（知名度沒有晏子、子產等人高，所以只好稱為小賢）談得很投機，因而開心地說：「嗯！衛國有很多賢能的君子，不會有什麼禍患。」

好不容易不烏鴉嘴一回，偏偏他這嘴巴卻是好的不靈壞的靈。後來，衛國流亡太子蒯聵作亂，把國家搞得烏煙瘴氣。

這次內亂，孔子的高徒子路也被捲了進去，格鬥中帽纓被打斷，明知風險，竟還停止戰鬥說：「君子死而冠不免。」為了保持帽子的完整，執意將帽纓重新紮上，也將自己的小命拱手送給了敵人。

季札離開了衛國，又西去拜訪中原的盟主晉國，路上經過戚城（衛邑，今河南濮陽市東北）。當地的行政長官孫林父為他接風洗塵，擊磬奏樂，沒想到季札卻一點兒不領情，說：「我聽說變亂而沒有德行，必然遭到殺戮。不久前，你把你老大衛獻公給驅逐出境，雖然後來又把他接了回來，但你始終是有罪的啊！你現在的處境，就好比一隻燕子在帳幕上築窩，危在旦夕。害怕都來不及，居然還有心思尋歡作樂？唉！叫我怎麼說你喲！」

孫林父聽了這番話，嚇出一身冷汗，從此再也不敢玩兒音樂了。

季札這一路埋汰了不少人，最後遭到「毒手」的是晉國。

在那裡，他拜訪了晉國三大家族的族長趙文子趙武、韓宣子韓起和魏獻子魏舒，說：「這三家比較牛，晉國的政權，最後八成要落到他們手裡。」

三家分晉都給他預見到了，看來鑾有政治遠見的啊！

這樣的人不當吳王，實在可惜了。

季札在晉國還交到了一個好朋友，那就是大賢臣叔向。臨別時，他語重心長地對叔向說：「小心，晉國政權將要歸於私家。你這個人喜歡坦率直言，一定要多長個心眼，讓自己免於禍難。」

季札就是這麼一個人，他一向認爲：當臣子很難，當好臣子更難，當好國君就越發的難了，所以寧死不肯接受王位。在他看來，那就好像是刀山火海。

季札出使列國時，曾經路過徐國（今江蘇省北部徐州一帶）。徐國國君看到他佩戴的寶劍，心裡十分喜歡，一直把玩，想要又說不出口。

熟悉先秦歷史的人都知道，吳越之地的兵器鑄造業十分發達，所謂吳鉤越劍，那裡出產的刀劍名冠天下。這一把吳國公子的佩劍，肯定不錯。

徐君對季札的劍起了「賊心」，季札看在眼裡，自然心知肚明，但作爲尚在出訪途中的外交使臣，沒有佩劍是很嚴重的外交失禮，只得不動聲色地將心中對徐公的暗許埋下，離開了徐國。

遺憾的是，當季札從晉國回來的時候，徐君已經等不及先死了。世事無常，眞的是人所難以預料。

季札很傷感，來到徐君的墓前，但見寒風冽冽，墓前的一棵枯樹隨風顫動，沙沙作響，更添幾分蕭索。他不禁長歎了一口氣，解下身上的佩劍，恭恭敬敬地掛在墓前的枯樹上，黯然道：「老哥，這把劍我已經心許給你。你雖然死了，但它還是你的。來！收下吧！」

延陵季子兮不忘故，脫千金之劍兮帶丘墓。這就是古代君子之間的友誼，質樸情眞，淡雅如水，但是千金一諾——即使那個「諾」的對象已經死去，即使那個「諾」只是一個誰也不知道的「心許」，但君子坦蕩蕩，承諾了，就要做到。有些時候，古人的高風亮節，確實讓我們這些驕傲且自私的現代人感到慚愧。

季札、晏子、子產、叔向，以及稍晚一些的孔子，是中國歷史上第一批開始獨立思考的知識份子、學者、思想家、哲學家，也正是史書上所謂的賢人。在他們的努力下，民本思想開始萌芽，理性之光從愚昧和迷信的層層包裹中沖決而出，文化從蒙昧走向文明，從重神懼鬼走向人文關懷。

與此同時，古希臘的畢達哥拉斯、赫拉克利特、泰勒斯、阿那克西曼德、克塞諾芬尼等一大批著名的思想家哲學家，也正致力於著書立說，爲西方哲學和自然科學的蓬勃發展，夯下堅實的理論地基。

6 到底誰來當王

季札帶勁了，王位卻沒了著落。本來壽夢的兒子們依次繼位，為的就是把季札推到最高領導人的位子上去。現在他說什麼就是不肯，該死的王位要傳給誰好？

季札回到吳國後，沒多久，吳王余昧死了。

這一次，無論按照先王壽夢的遺命，還是按照吳國的民心，都應該輪到季札來當國君，但他又一次跑了，說：「我不願做國君，早就說得很明白了。人世間的富貴名利，不過就是秋風過耳，引不起我任何興趣。」

他逃回自己的封地延陵，說什麼也不出來。

要說，季札可比他老祖宗太伯牛。太伯那是三讓王位，季札卻是四讓王位，這一下子可眞要名揚千古了。首先，孔老夫子就帶頭做了他的粉絲，在他墓前題了「嗚呼！

有吳延陵君子之墓」的十字碑文。

至聖先師都表態成這個樣子了，後世歷代的賢人自也跟著大加稱頌，說他是天下君子的楷模，應爲千秋萬世所頂禮膜拜。

唐代著名詩人吳筠寫過這樣一首詩：

太伯全至讓，遠投蠻夷間。延陵嗣高風，去國不復還。尊榮比蟬翼，道義侔崇山。元規與峻節，歷世無能攀。

您瞧瞧，歷世都無能攀了，評價多帶勁！

季札是帶勁了，吳國的王位卻沒了著落。本來大家說好了，壽夢的兒子們依次繼位，爲的就是把季札推到最高領導人的位子上去。現在他說什麼就是不肯當王，該死的王位要傳給誰好？

這就是不採取「嫡長子繼承制」的惡果了。本來，王位應該由壽夢的長子諸樊繼承，然後再由諸樊的長子公子光繼承，按規矩來，一點事兒都沒有。現在諸樊非要讓弟弟傳，結果傳來傳去，傳沒影了。

這個時候，余昧的兒子公子州於站出來了，他說：「先王有令，兄死弟繼位，一定傳國給季叔叔。季叔叔現在不想當國君，可是我想。我老爸吳王余昧是兄弟中最後一個當國君的人，他死了，我理應代其爲王。」

吳人無奈，只好立州於爲君，號爲吳王僚。

這下子，換諸樊的兒子公子光不樂意了。你爹的位子是我爹傳過去的，這是按照「兄終弟及」的傳法，現在季叔叔不想當國君，這方法行不通了，就應該按照「嫡長子繼承制」的傳法，從爺爺那輩重新算起。這樣看，我才是正宗的嫡長子嫡長孫，王位應該是我的！

公子光越想越來氣，於是就有了陰謀奪位的想法，這也就有了我們前面講的，阻撓吳王僚任用伍子胥的前事。

既然不能和平選舉領導人，只好用武力來解決問題。

公子光找到吳王僚，說：「伍子胥勸大王您興兵討伐楚國，不是爲了吳國，而是爲了他自己的家仇，請大王不要採納他的建議。」

吳王僚一聽，確實是這麼個理兒，於是就不再準備爲伍子胥興兵伐楚，也慢慢疏遠了他。

伍子胥是個聰明人，一下子就看出了眞正的奧妙——公子光有異志！

他主動找到吳王僚，說：「我聽說，作爲諸侯，應該專心處理政事，不憑意氣用事，非到萬不得已，不能輕開戰端。現在大王身居高位，詔令威嚴，爲了我一個普通平民而出動軍隊，在國家上說不過去。所以懇請大王不要爲我興兵，讓我去鄉下種地，了此餘生吧！」

吳王僚本來就怕麻煩，現在見伍子胥如此識相，大喜，馬上命令賜陽山之田百畝，讓他去好好種地，爭取做個勤勞致富的好農民。

伍子胥和王孫勝在陽山當起了農民。公子光知道後大喜，連忙帶著禮品去拜訪。兩人一見面，公子光就說：「伍子胥，你知道我為什麼找你嗎？」

伍子胥點點頭，詭譎地笑了。果然不出所料，這個看似謙卑的年輕公子的胸中，充滿了勃勃的雄心與慾望。那麼好，一切如你所願，就讓我倆的復仇之火，燃遍整個吳楚大地吧！於是，便聽他一字一句地回答道：「只要替我復仇，我會幫助你得到你想要的一切！」

公子光大笑：「好！夠直率！我想當吳國的王，你可有好計劃？」

「這好辦，找個黑社會幹掉吳王僚就是。」

「黑社會？」

「沒錯！我這兒正有一人，可成此大事。」

「何人如此厲害？」

「大俠專諸！」

7 刺客養成大法

專諸丟掉屠夫這個沒有前途的職業，跑到太湖島上，跟吳國著名烹飪專家「太和公」學烤魚去。三個月後，從廚師專業技校學成歸來，已經能烤得一手好魚。

專諸，又名設諸，吳國堂邑（今江蘇六合）人，是伍子胥逃亡途中結交的一個屠夫。按照《東周列國志》的說法，此人「狀如餓虎，聲若巨雷，不畏強馭，平生好義，見人有不平之事，即出死力而爲」。

兩人第一次見面當時，專諸正在與一個古惑仔打架，眼見將要撲向對手，其怒火之盛，氣勢之猛，似乎一萬個人也不可抵擋，但聽老婆一聲呼喊，他立即像隻小貓咪一樣矮下來，乖乖掉頭回去。

伍子胥不解，因而問：「你一個大男人，怎麼這麼聽女人的話？難道你就是傳說中的『妻管嚴』？」

專諸說：「不要說得那麼難聽嘛！你看看我，玉樹臨風，男子氣概十足，像個沒用的笨蛋嗎？我專諸雖然屈身於一人之下，但必能出頭於萬人之上。」

伍子胥認眞地打量起了專諸的相貌，此人有高高的額頭，幽深的眼睛（頭腦冷靜，智商高），虎一樣的胸脯，熊一樣的脊背（四肢發達，攻擊力強），雖然長得比自己要稍微差那麼一點點，但也算是一個智勇雙全的好漢，於是和他八拜爲交，偷偷認下了這個小弟，希望日後能有大用處。

由此可見，壯士多爲屠狗輩。

公子光聽了介紹，大喜，連忙叫伍子胥帶路，他要好好地認識一下這個威猛而又多情的傳奇人物。

接下來，他把自己的「悲慘遭遇」向專諸哭訴了一通，說：「是上天讓您來輔助我這個失去了依靠的孤子啊！」

專諸道：「有話好好說，何必要這樣採取暴力行動，破壞安定團結呢？」

公子光問：「好好說？」

專諸回答：「公子，你何不委派一個心腹大臣到王僚面前從容進言，陳述先王的遺命，婉轉地表達你的意願，使他知道王位本應歸屬於你呢？」

公子光搖了搖頭說：「王僚這小子素來貪利忘義，他依仗自己的勢力，一心只想往上爬，從來不知道謙讓這兩個字怎麼寫。跟他好好說話根本沒有用，所以我才訪求能夠共患難的才勇之士，試圖用另一種方法讓他明白此中的道理。而這個才勇之士，就是兄弟你和伍先生了。」

這明擺著就是要王僚死！既然不能和平選舉領導人，只好用刺客解決問題。

專諸遲疑了一會兒，終於說道：「好，我明白了。士為知己者死，我專諸為你搭上這條性命就是！公子，你下命令吧！你是要王僚這麼死，還是那麼死，還是怎麼個死法呢？」

公子光沉吟道：「現在我也沒有一個很成熟的想法，頭疼啊！先生，您可有好計策？」

專諸答：「殺一個人很難，殺一個防護森嚴的國君更難。我們一定要找到能順利接近他而不會引起懷疑的萬全之策才行。夫魚在千仞之淵，而入漁人之手者，以香餌在也。想要暗殺王僚，必先投其所好，才能接近，然後在其警戒心最低的時候奮然一擊，則大事可成矣！」

公子光說：「這好辦，王僚這個人好吃，是個美食家來的。」

專諸問：「那他最喜歡吃什麼呢？」

公子光說：「他喜歡吃魚，尤其喜歡燒烤鮮魚。」

專諸猛然站了起來，說：「太好了，專某告辭。」

公子光急了：「話還沒說完呢！你去哪兒？」

專諸笑道：「你不是說王僚喜歡吃烤魚嗎？我去太湖學做烤魚去，三個月後，請你們吃全魚宴。」

就這樣，他丟掉屠夫這個沒有前途的職業，跑到太湖島上，跟吳國著名烹飪專家「太和公」學烤魚去。

三個月後，專諸從廚師專業技校學成歸來，已經能烤得一手好魚。

公子光吃了全魚宴，讚不絕口，邊吃邊對伍子胥說：「專諸這傢伙還眞厲害，短短三個月就從一個屠夫成功轉型成出色的廚子了。怎麼樣？該下手了吧？」

伍子胥搖頭說：「大雕之所以難抓，是因爲有強壯的翅膀。要搞定牠，最好的辦法就是先翦除牠的羽翼。我聽說王僚有個兒子叫做公子慶忌，此人筋骨若鐵，萬夫莫當，手能抓飛鳥，力能格猛獸，更糟的是，還整天跟在王僚的身邊，寸步不離，我們根本沒有機會動手。另外，我還聽說王僚有兩個強大的胞弟掩余、燭庸，並握兵權。只要這三個人還在的一天，就永遠不可能殺得了王僚。要除掉王僚，必須先幹掉這三個倒楣孩子，否則，即使僥倖得手，公子您這國君也當不安生。」

伍子胥這一番分析眞是夠透徹，公子光服了，於是先按兵不動，一面積極準備，一面安心坐等良機。

眨眼到了第二年，也就是王僚在位的第八年（西元前五一九年）。

吳公子光率兵攻打楚國小弟州來，楚司馬薳越率領楚國和手下一幫附屬國的軍隊前往救援，兩軍在鍾離（今安徽鳳陽東北）相遇。這時楚國令尹子瑕突然病死，楚軍士氣低落，遂按兵不動。

公子光說：「楚國手下小弟雖多，但都是被逼來的小國，同夥而不同心，不足爲懼。如果我們分兵攻打當中最弱的胡、沈、陳三國，他們必然首先逃跑。此三國一敗退，這幫烏合之衆軍心動搖，楚軍必敗。」

吳王僚聽從了他的意見。

七月二十九日，兩軍在雞父（今河南固始縣南）展開大決戰。公子光使出分兵誘敵、先攻虛弱的戰法，派三千死士爲敢死隊，先衝亂胡、沈、陳三小國的軍隊，然後以主力三個整編軍發起強攻，趁亂掩殺，三國敗逃，吳軍俘虜了胡、沈兩國的君主和陳國的大夫夏齧。

緊接著，公子光又故意釋放幾個敵軍俘虜，讓他們奔逃到楚軍陣中，大喊：「我們的國君死了！咱們全完了！」吳軍在後擂鼓發起最後的衝鋒，楚聯軍大潰敗。

看來，公子光還真是一個人才。有才能、有野心的人都是不安於現狀的，他們渴望權力，渴望成功，即使這個成功需要以流血作爲代價。

同時，避居在鄖邑（今河南新蔡縣）的楚故太子建的母親，因怨恨楚平王廢逐她的兒子，也引吳兵入鄖，將藏在鄖邑的楚國寶器一擄而空。楚司馬薳越追趕吳兵不及，衆將勸薳越拚死進攻吳國，或許可以僥倖取勝，將功贖罪。薳越仰天歎道：「我是賠了夫人又折兵，還有什麼顏面再見大王？死了算了！」在薳水（今湖北京山縣西漢水東岸）邊自縊而死。

經此一役，楚人懼怕吳國到了極點，日夜擔心吳軍攻來。新任令尹囊瓦於是加修國都郢城，將郢都擴建爲三個城池，分別稱紀南城、郢城和麥城（就是關羽敗走的那個麥城），以「品」字之形，互爲犄角。

很遺憾，楚平王任命的這個囊瓦實際上膽小無能，根本不是宰相之才。當時的楚國賢臣沈尹戌因而嘲笑他說：「子常（囊瓦之字）當政不懂得爲百姓謀福利，就知道挖溝建牆。沒了民心，別說三個城，十個城也擋不住吳國的虎狼之師！」

果然，第二年，吳楚邊境又發生衝突。

導火線是楚邊邑和吳邊城的兩幫太妹，她們爲了爭奪邊境桑林的桑葉採摘權大打出手，結果楚國的太妹不是吳國太妹的對手，很多人被抓花了臉、撕破了裙子。她們的家人氣不過，就去找吳國太妹的家人吵。吳國人出言不遜，楚國人吵不過人家，一怒之下乾脆殺了幾個吳國人，然後揚長而去。

吳國人很生氣，後果很嚴重，他們衝到楚邊邑，殺了對方全家。

楚邊邑的守將大怒，後果更嚴重，發兵攻打吳國邊城，把全城老弱全部殺死。

吳王大怒，後果更加更加嚴重，他派公子光討伐楚國，連破楚邑巢和鍾離。楚人只好又築城遷民，全國鬧得雞犬不安。

公子光連勝楚國，在吳國百姓心中的威望大增，搶班奪權的籌碼又增加了幾分。

楚平王聽說二邑被滅，心中更是害怕，最後憂懼成疾，病死於在位的第十三年，西元前五一六年的一個寒冷冬夜。

楚太子珍繼位，改名爲軫，是爲楚昭王。他的老師費無忌當然跟著雞犬升天，和令尹囊瓦、左尹郤宛同執國政。

至此，吳楚的冤仇越結越深，越結越濃，濃重到連鮮血都化解不開了。

伍子胥聽說狡猾的楚平王不通知自己一聲就偷偷死了，捶胸大哭，終日不止。他好恨！爲什麼這傢伙死得這麼快？讓自己不能親手報殺父之仇！

還好，費無忌這個小人仍未死，還有機會殺了他，以告慰父兄在天之靈。

伍子胥感覺有必要加快復仇的步伐，要不然時間一長，萬一費無忌也死了，自己就眞的要抱憾終生了。他爲此苦思三夜，終於想得一個妙計，找到公子光說：「公子，你成大事的機會到了！」

「此話怎講？」

「今楚王新喪，公子何不勸吳王僚乘機發兵伐楚，遣開掩余、燭庸、慶忌這三個手握兵權的爪牙？這樣就可以趁國內空虛，以圖大事了。」

「辦法是不錯，但有一個致命的漏洞：我才是三軍主帥。這等大事，王僚那小子肯定也會派我去。我都不在吳國了，如何能成事？」

「如此就得委屈公子您一次了，您可以在上朝的時候故意摔個跤，把腿摔瘸，這樣就不用出征了。」

「你的意思是……苦肉計？」

「沒錯！」

「高，實在是高！好，就這麼辦。爲了王位，別說讓我摔瘸個腿，就是把腿摔斷了都願意！」

王僚十三年（**西元前五一四年**），吳王藉楚國國喪，派公子掩余、燭庸帶兵包圍楚國的六、灊二邑，並派季札出使晉國，觀察諸侯的動靜。誰知楚國派奇兵絕其後路，吳兵被阻，不能回國。

吳王僚只得再派公子慶忌去鄭、衛二國求援。

至此，他的心腹全被遣開，公子光的機會終於來了！

8 魚腸劍

魚腸劍鑄成後，善於相劍的薛燭被請來為它看相。此人的本領如能通靈，立刻感受到劍中蘊藏的精神，說它「逆理不順，不可服也，臣以殺君，子以殺父」。

天才的冶煉大師、鑄劍之鼻祖、重量級武器專家越國歐冶子，曾採赤堇山之錫，若耶溪之銅，經雨灑雷擊，得天地精華，爲越王允常打造出五把青銅寶劍，包括三把長劍湛盧、純鈞、勝邪（又名盤郢），兩把短劍魚腸、巨闕。五把寶劍乃是春秋時代青銅鑄劍的巔峰之作，其中每一把，背後都有一段驚心動魄的傳奇故事。

公子光早有不軌之心，這些年來一直在暗中尋訪神兵利器，五把蓋世寶劍就有三把爲他所得，其中包括刺客的終極武器——魚腸劍。

魚腸這個名字，據北宋科學家沈括在其著作《夢溪筆談》卷十九「器用」篇載：「魚腸，即今蟠鋼劍也，又謂之松文。取諸魚燔熟，褫去脅，視見其腸，正如今之蟠鋼劍文也。」此劍因爲劍身花紋猶如彎彎曲曲的魚腸而得名，另一個說法則認爲它小巧得能夠藏身於魚腹之中，故名魚腸。

不管哪一種，有一點都是可以肯定的：魚腸劍應該是一把小巧鋒利的青銅匕首，小巧則容易藏匿，鋒利則足以穿透厚厚的盔甲。

據《越絕書》記載，魚腸劍鑄成後，善於相劍的薛燭被請來爲它看相。此人的相劍本領如同通靈一般，立刻感受到劍中所蘊藏的精神，說它「逆理不順，不可服也，臣以殺君，子以殺父」。

看來，這把劍自誕生之日起，就註定了嗜血與暗殺的宿命。

現在眞的萬事俱備了，行動三人組於是在一個月黑風高的夜晚，召開了一場秘密會議。行動負責人公子光默默地從懷裡取出魚腸寶劍，鄭重其事地遞給專諸。

三人對視，一切盡在不言中。

氣氛沉重，死一般的寂靜。好一會兒，專諸才接過寶劍，緩緩抽出。原本幽暗的密室頓時寒光閃耀，刺得大家睜不開眼。

伍子胥忍不住拍手道：「好一把寶劍，竟能自放奇光！難道神物有靈，欲飽飲王僚之血乎？」

專諸心裡卻在想：確實是一把好劍，拿回去給老婆切菜一定很快。

公子光笑道：「那可不？這可是本公子的壓箱底寶貝，殺人滅口、居家旅行之必備良伴。」

專諸道：「王僚的死期到了，他的兩個弟弟被困在楚國，季札又在外出使，沒有這些絆腳石，此時行動，勝算甚大。但我家上有八十歲老母，下有八歲小兒，請光哥允許我回家，見他們最後一面。」

公子光抬起頭來，說道：「你放心地去吧！從今以後，你的老母就是我的老母，你的兒子就是我的兒子，你的老婆就是我的老婆……啊！不對！最後一句請自動忽略。」

專諸回到家中，跪在母親面前，不言而泣。

母親道：「我們全家受公子恩養，總有一天是要報答的。忠孝豈能兩全？你快去，不要掛記我。你能成此大事，垂名後世，娘我死了都有面子。」

專諸猶依依不捨，因爲他明白，這是母子的最後一面了。

母親長歎了一口氣，說：「我渴了，你給我去外面井裡打口水來。」

專諸奉命去打水，回來後，卻發現母親不在屋內。老婆告訴他：「娘回臥室休息去了，你不要吵她。」

專諸一聽，心裡突然產生出不祥的預感，忙跳窗而入，果然！老母已在臥室裡自縊身亡了。

《漢書．地理志》言：「吳越之君皆好勇，故其民好用劍，輕死而易發。」看來這句話說得沒錯，不但吳越的古惑仔是如此，漁丈人、浣紗女、專諸老母這樣的老弱婦孺，也都不弱於人後。

專諸大哭一場，草草辦完喪事，辭別妻兒，來見公子光。公子光十分過意不去，安慰了一番，等專諸收拾好心情，大家開始做最後的部署。

伍子胥道：「公子何不今日就請王僚吃飯？只要他肯來，事情就成功一半了。」

公子光笑道：「王僚這個好吃鬼，有好東西怎麼能不給他預備一份呢？你給我在暗室內準備三百死士，我要好好招待一下。」

安排妥當，公子光親自動身前往宮內，請王僚去參加自己精心準備的鴻門宴。他道：「大王，好消息！我這兒最近新來了一個太湖大廚，烤魚功夫一級棒。小弟不敢獨享，因此特請大王駕臨寒舍品嚐美味，保證您吃了不會後悔。」後面應該還得接上「才怪」兩個字。

王僚雖然好吃，智商卻不低。公子光野心勃勃，所謂宴無好宴，此去必然兇險萬分。答應吧！怕對方玩陰的；不答應吧！又怕激化雙方的矛盾。如此糾結了好一番，最終還是決定冒險去一趟，但在赴宴之前，也做了萬全的準備：

第一，從宮門到公子光的家門口，沿途列兵守衛，五步一哨，十步一崗，別說一個刺客了，就是一隻蒼蠅也別想靠近半步。

第二，進公子光府第後，王僚的親信侍衛佈滿堂階、席位、左右，這些大內高手一個個手操長戟，腰佩利刃，哪個敢稍有異動，所有傢伙就一齊招呼下去，砍成肉醬再說。

第三，王僚穿上了只有出征時才用的三層棠鐵之甲，把自己像個粽子一樣嚴嚴實實地包起來，刺客接近也傷不了半分。更何況王僚本人還經常去健身房鍛鍊，本身就武藝高強，力大如牛，尋常十幾個壯漢根本不是對手。

如此嚴密的防護，他就不信了，天下之間能有人殺得了自己？對方若敢在宴席上有所不軌，正好藉機一網打盡，省得日後提心吊膽，怕這怕那。

看來這該死的吳王也不是那麼好當的啊！時時刻刻都要防備別人幹掉自己，連吃個飯都沒辦法安生。怪不得那個季札死也不肯接受王位，寧願跑到鄉下去當土財主。

至此，繼承人問題這顆在吳國潛伏了多年的不定時炸彈，終於被點燃了引信，一場江湖仇殺式的王位爭奪即將上演。

9 夜宴

頓時，撲鼻的魚香充滿整個宴會廳。專諸臉上突然露出一個極其詭異的笑容，猛地從魚腹中抽出匕首，一劍正刺在王僚的胸口，勢大力沉，直貫三層堅甲，透出背脊。

這天晚上，全副武裝的吳王僚興師動眾地來到公子光府第。

命運的宴席開始了！

先上酒和前菜，可有一點，所有的服務員必須在堂下搜身，檢查確定沒有攜帶危險品後，才能膝行上前，再由兩旁的武士押著獻上酒菜。可憐的服務員脖子上都架滿了劍，別說爬起來行刺了，只要膽敢抬頭看一眼大王的芳容，腦袋就得跟脖子分家，改去給閻王爺上菜去。

王僚如此小心謹慎，專諸如何能夠下手？

別急，他自有辦法。

酒過三巡，菜過五味，什麼事兒也沒發生，喝得微醺的王僚有些放鬆警惕：看來本王真的是忒緊張了一點。寡人帥氣逼人，英明神武，誰敢殺我？

這時候，公子光開始按計劃演戲了，忽然抱住雙腳，面做痛苦之狀：「哎唷！我的傷腳又開始痛了，這個挨千刀的郎中，技術眞爛！大王，您等一下，我進去把傷處重新包紮，待會兒再來陪您接著喝！」

王僚不疑有他，笑道：「王兄請自便。」

公子光一瘸一拐地走了出去，一轉身回到秘密基地，那裡擠著一大幫全副武裝的小弟。專諸湊上前來，沉聲道：「老大，該我上了吧！」

公子光拍了拍他的肩膀，說：「去吧！阿諸！記住，此次行動只許成功，不許失敗。如果失敗，我會被軍事法庭制裁，你會被當場擊斃。」

「光哥，如果成功呢？」

「如果成功，我會成爲新的王，你還是會被當場擊斃。」

「我暈！不過，請老大放心，我早就有獻身革命的心理準備了。我，不是一個普通的小弟，而是一名刺客。殺人是我的使命，被殺是我的宿命。」

「好！我果然沒有看錯人。我的身體，就是你的身體。」

專諸默默地將魚腸劍藏進烤魚的肚子裡，端魚出門，並回頭說了生命中的最後一句話：「照顧好我七舅姥爺和他的外甥女！」

終於到了該上主菜的時候了，專諸捧著他的寶貝魚來到堂前，旁邊的武士上下其手，將他的身上搜了個遍，還不放心，又讓他換上另一身衣服，這才押著他膝行到王僚席前。

頓時，撲鼻的魚香充滿整個宴會廳。王僚忍不住俯下身來，長長地吸了一口氣，歎道：「好魚啊好魚！寡人得嚐如此美味，死亦無憾！」

專諸臉上突然露出一個極其詭異的笑容，猛地從魚腹中抽出匕首，一劍正刺在王僚的胸口，勢大力沉，直貫三層堅甲，透出背脊。

眞好專諸，眞好「魚腸」！

王僚難以置信地看著鮮血從胸前狂湧而出，灑在自己和專諸的身上，再流到案上，將那面前那盤該死的烤魚染得一片殷紅。

與此同時，無數的劍戟也刺穿了專諸的身體。他用最後的力氣猛撲上前，將身上的劍戟又頂入王僚體內。鮮血飛濺起來，飄舞在空中，晚霞一般艷麗。

兩個千瘡百孔的身體撞倒席案，重重地摔在了地上，眼見著是都活不成了。

專諸成功了，他完成了不可能完成的任務，成爲中國歷史上最偉大的刺客。失去意識之前，他想起了尊敬的光哥所說的最後一句話：「我，爾身也。」

另一邊，王僚在失去意識之前，腦海中閃過的最後一句話是：「居然想到把匕首藏在魚肚子裡面，還眞他娘的有創意！」

正所謂：膽小的怕膽大的，膽大的怕不要命的。王僚處處謹小愼微，最終還是死在了不要命的恐怖分子手裡。總之，一句話，人在江湖漂，哪能不挨刀？在道上混，總有一天要還。

血，到處都是血！大多數人根本來不及做後繼反應，先被這驚人的場面鎭住了，而後大亂。公子光的一干小弟趁勢殺出，將這些沒頭的蒼蠅來了個一鍋燉，然後擁著公子光登車入朝。

公子光把所有的文武百官聚集起來，歷數王僚之罪，接著假惺惺地說道：「王僚背義自立，人神共憤，這次我將其誅殺，不是爲了自己，而是爲季叔叔出氣，這王位本來就應該是他的。等他回來，我們就擁他爲王，大家覺得如何？」

他明知道季札不可能蹚這渾水，所以才故意這麼說，藉以掩飾弒君之罪，到時候季札回來一推託，王位不還是他的？群臣不是傻子，當然心知肚明，但這會兒還有誰敢反對？一個個順水推舟認了就是。

公子光安定下來群臣，又開始廣散財帛，賑濟貧民。

大家覺得反正他當國君和王僚當國君也沒啥不同，自己還落了不少好處，也就都接受了這個現實，沒人肯幫王僚出頭了。

等局勢稍稍穩定了一些，公子光便厚葬了革命烈士專諸，並將其子專毅封為大夫，也算是還了這份大人情。相傳，今日無錫市內大婁巷的專諸塔，就是當年公子光替專諸造的優禮墓。

至於那把改變了公子光一生命運的「魚腸劍」，卻被認為是一件不祥之物，永遠地函封於一個寶匣之內。或許，是為了紀念這一段驚心動魄的歷史吧，據說公子光，即吳王闔閭死後，將魚腸劍作為陪葬品之一，和他一起長埋在了地下。

說起來，伍子胥這個白髮魔男真的改變了不少人的命運，專諸就是這些人中最典型的一個。

要不是因為伍子胥，專諸只會是吳國鄉下一個普普通通的屠夫，守著老婆孩子，安安靜靜地過完下半輩子。可就是因為碰到了這個該死的白髮小子，專諸改變了一生的命運，以血肉之軀，搏殺了高高在上不可一世的吳國之王。

匹夫一怒，血濺五步，捨得一身剮，天王老子一樣也能拉下馬來。專諸用他的生命，為後世所有的俠客好好地上了一堂課：天下間，沒有什麼強權是不可以挑戰的，即使是一介草民，也可以幹出驚天動地的大事來。民不畏死，奈何以死懼之？沒有什麼不可以！

最後再說句題外話，專諸這次精采絕倫的刺殺行動，甚至還改變了中國人的飲食文化。食物裝盤是有很多講究的，所謂「雞不獻頭，鴨不獻掌，魚不獻脊」，請客吃飯，主人絕對不能將魚的脊背對著主賓，誰知道你會不會突然從魚腹中抽把手槍出來幹掉人家？

說笑了，其實是因爲魚腹之肉刺少肉嫩，味鮮美，相較之下，脊背有鰭，刺多，肉質硬，反而不如腹部肥美。把魚腹對著客人，才是吃請應有的禮節。

另外，如今太湖附近有一道名菜，叫做「松鼠鱖魚」，又名「吳王魚炙」，相傳就是當年專諸送給王僚的喪命菜。據說後人爲敬仰專諸，還奉他爲廚師的先祖。舊時候常有廚民到專諸墓前祭祀，祈求自己做的飯菜能像老祖宗做的魚炙一樣美味可口，讓客人一見，連命都可以不要。

第4章

吳王闔閭

兩顆美麗的人頭滾落，艷麗的鮮血綻放如花。清晨的風摻雜著令人作嘔的血腥味，孫武滿臉平靜地繼續開始訓練，好像剛才什麼事兒都沒有發生過一樣。

1 姑蘇明月

不出一年，姑蘇城拔地而起，城內大興土木，宮殿、樓宇、市場、糧倉，比比皆是。水陸交通，冠蓋雲集，各國商人和打工仔蜂擁而至，端的是熱鬧非常。

吳國國內發生了天大的變故，在晉國出使的大賢人季札聞訊大驚，趕快回來跑到王僚墓前，痛哭流涕。

哭什麼呢？說到底還不是你害的！

公子光找上門，假惺惺地要把王位讓給他，說：「這是祖父和叔父們的遺命，你還是勉爲其難答應了吧！」

用腳趾頭想也知道，季札不會接受。

他無奈地道：「這是你千辛萬苦得來的，何必讓給我呢？只要先王的宗廟有人祭祀，社稷之神有人供奉，吳國的百姓有人治理，誰當國君還不是一樣？我還敢怨恨誰呢？總而言之，一切都是天意，總而言之，一切不關我的事，誰被立為國君，我就服從誰。」

季札這個態度，當然有明哲保身的意思。他這會兒也只能這麼做，吳國已經夠亂了，再生枝節，只會更亂。

既然季札都這麼說了，公子光當然也就不再客氣，順勢自立為王，改稱闔閭，並封大功臣伍子胥為行人（外交官），待以客卿之禮。大賢人季札則悄悄地回到了封地延陵，輕輕一揮衣袖，不帶走半點麻煩。

只死一個王僚和幾個侍衛，總比大規模的宮廷暴亂要好得多。

至此，吳國的權力之棒總算在流血最少的情況下交接成功，屬於吳王闔閭和伍子胥的新時代來臨了。

闔閭終於如願以償當上吳國的王，但這位子卻一點兒也不穩當。別忘了，王僚的牛逼兒子慶忌和他那兩個手握兵權的胞弟，還在國外虎視眈眈地盯著他呢！

所謂先下手為強，後下手遭殃，吳王闔閭想來想去，決定親率大軍，去長江邊上堵人。不過，慶忌這傢伙也不是吃素的，不但精於搏擊，暗器、輕功的功夫也都不賴，一看到吳王闔閭氣勢洶洶地來追殺，二話沒說，催車便走。

闔閭駕著四匹馬的大車，在後疾追：「小兔崽子，我看你往哪裡跑！」

慶忌一回頭，發現自己的小QQ根本跑不過人家的大奔馳，乾脆跳下車來拔腿狂奔，那速度跟飛一樣，連大奔馳都追不上。

闔閭急了，忙命左右亂箭射之。

沒想到，慶忌暗器功夫也是一流，只見他一個回身望月，隨手一抓，所有的箭就全到了他的手裡，一枝也射不中。

慶忌將手中的箭往地下一扔，笑道：「就憑你們，想殺我？做夢吧！光叔，咱叔侄就此別過，吾父之仇，來日必將加倍奉還，你等著！」說著揚長而去。

闔閭氣得在車上直跳腳：「果然是兔崽子，跑得比兔子還快！」無奈之下，也只好收兵回國，從此以後提心吊膽，每天擔心慶忌派人殺他，竟也開始學王僚穿起三層棠鐵之甲來，而且從此以後再不吃魚，誰跟他提魚他就跟誰急。

慶忌一口氣跑到了衛國，招納死士，日日夜夜都想打回老家為父報仇。

至於王僚那兩個被圍困在楚國的弟弟掩余和燭庸，聽說老哥被闔閭幹掉了，不由放聲大哭：「該死的逆賊，我們與你不共戴天！」既然現在絕對不會有援兵來救了，他們只好棄軍逃跑，掩余跑到了徐國，燭庸跑到了鍾吾（近楚小國，今江蘇宿遷市北）。楚國的大將郤宛因此撿了個大便宜，不費一兵一卒搞定吳軍，還得到一大批戰略物資。

唉！這還眞是一段復仇的歷史啊！伍子胥的父兄之仇只是一個引子，發展下去，就衍生出王僚對公子光的奪位之仇、吳王闔閭對公子慶忌的殺父之仇，以及他對掩余、燭庸的殺兄之仇。這以後，還會有越來越多的仇恨夾雜著鮮血，井噴而出，灑滿江南大地。

吳王闔閭歷經千辛萬苦，總算爬上了吳國王座，當然想要有一番作爲，於是找來自己最信任的伍子胥，問：「如今天下大亂，列國爭雄，自楚莊晉悼之後，各諸侯已經很久沒有出一個雄才大略的霸主了。寡人初登大位，勵精圖治，也想搞個霸主來玩玩兒，你有啥好辦法嗎？」

伍子胥二話沒說，猛然跪倒在地，抬起頭，已是淚流滿面：「伍員者，一介楚國亡臣也。現如今，我的父兄含冤而死，屍骨得不到安葬，魂魄得不到祭祀。我這樣一個徹頭徹尾的失敗者，滿懷屈辱地投奔大王，大王不加殺戮，已屬萬幸，又怎敢妄加參與吳國的大政方針？」

闔閭知道伍子胥這是急於復仇，在給自己施加壓力呢！但現在還不是跟楚國決戰的時候，索性故作不知，說：「如果不是先生您，我早就被王僚那小子搞定了，哪兒還會有今時今日？您怎麼能在中途產生退隱的念頭？」

伍子胥見闔閭跟自己繞圈子，只好再挑明一些說：「微臣不是想撂挑子，而是我聽說過一句話，叫鳥盡弓藏。一旦國事安定，大王不需要我了，就會把我丟在一旁，不再信任。」

闔閭見話說到這個份兒上，只好給伍子胥一個準話：「先生，你怎麼能這樣看寡人呢？寡人不是這樣的人，寡人可是個好人來著。如今吳國除了你之外，我不信任任何人。你就不要再推辭了，等到國事稍定，寡人一定會想辦法爲你報仇，放心好了。」

伍子胥這才滿意地點了點頭，心下有了主意。他決定以一己之力，助闔閭成爲「南霸天」。只有吳國強大了，闔閭才能幫他報仇雪恨，才能讓楚國人知道，得罪我伍子胥是他們所犯的最大錯誤。

闔閭見伍子胥點頭，心中大喜，忙請教說：「我國僻在東南，地勢高低不平，氣候潮濕，又有海潮之患，再加上國防落後，民無所依。寡人該怎麼做，才能讓吳國儘快實現現代化？」

伍子胥答：「國家要富強，最重要的就是讓百姓安居樂業。要想建立霸業，必須加快吳國的城市化進程，也就是要因地制宜，多建城邑、糧倉、兵庫，如此一來，內有可守，而外可以應敵，霸王之業，則可成矣！」

闔閭大喜：「太好了！伍先生果然絕世高才。那寡人就把一切事宜全權委託給你來辦了，要加油哦！」

伍子胥接下這個歷史性的重任之後，立馬開始行動。他派地質專家和氣象學家考察地形、水質、氣候、風土人情，最後決定在姑蘇山（今蘇州市木犢鎮靈岩山）東北三十里建一座規模宏大的闔閭城（又稱「吳大城」、「姑蘇城」），位置在今天的蘇州古城區。兩千多年來，它就如一輪明月般照耀在中國東南沿海，被譽為「全國第一古城」。

這座姑蘇古城，現在看來也許不算什麼，但是在當時，卻是春秋時代數一數二的大都市，周長四十七里（要知道，周朝的王都之制也不過「方九里」，即周長三十六里，可見姑蘇城之雄偉），共有八個陸門，八個水門，依山傍水，四通八達，東有海鹽之饒、章山之銅，三江五湖之利，眞乃江東第一大都會也。

此外，為了防備吳國的死敵越國（今浙江紹興一帶），伍子胥還在姑蘇城的南面建了一個衛星城市，周長十里，且南、北、西三面都有高大的城門，兩座城門邊還修有水門，一座水門有城樓，另一座水門路邊裝有木柵。唯獨不在東面建門，為的正是斷絕越國的路。

不出一年，姑蘇城拔地而起，吳王闔閭大喜，立馬將國都從梅里遷過來，一時間，城內大興土木，宮殿、樓宇、市場、糧倉，比比皆是，水陸交通發達，冠蓋雲集，各國商人和打工仔蜂擁而至，端的是熱鬧非常。這個新興的沿海發達城市，立刻成爲春秋各國媒體的關注熱點。

東方之珠姑蘇城的建立，使得吳國一躍成爲能與楚國分庭抗禮的南方強國，春秋歷史從此開始了新篇章。

2 神兵傳奇

如是七天七夜，干將不眠不休守護著冶爐，一刻也不敢離開。終於有一天，爐中似乎看不見劍了，仔細再看，卻還在爐底裡，純青的、透明的，正像兩條冰。

基礎設施完備以後，闔閭接著命令伍子胥招兵買馬，訓練士兵，教以戰陣射馭之法。除此之外，闔閭還非常重視新式武器的研發。

吳國地處水網交錯、叢林遍野的水鄉，難於車戰，步兵和水軍遂成爲吳軍的主要兵種，寶劍則成了這支軍隊最有效的殺傷性武器。爲此，他專門在位於今南京城南中華門外十公里處的牛首山下建立一座兵工廠，鑄劍數千，號曰「扁諸」，並高薪聘請武器專家干將和莫邪夫婦，鑄造神兵利器。

這對伉儷可是被奉爲春秋第一鑄劍大師歐冶子的同門，相當厲害。

他們決定借助吳王撥下的大批科研經費，搞一個驚天地泣鬼神的創舉，鑄造兩把超越時代的新式武器——鐵劍！

大家都知道，春秋時代，軍隊使用的大多是青銅武器，鋼鐵兵器完全取代青銅還是西漢末年的事情。那是因爲春秋早中期，冶鐵技術十分落後，只能冶煉出一種我們現在叫「快煉鐵」的東西。這種鐵因爲不是在高溫中冶煉的，含有很多的雜質，不是很純，根本不能夠用來製作兵器。

近代考古發現，當時的鐵劍，只能運用天上掉下來的隕鐵製造。而冶鐵製劍，在闔閭之前，根本是聞所未聞的新鮮事情。

干將、莫邪夫婦爲什麼想要研發出鐵劍呢？

那是因爲鐵劍比之銅劍，優點是顯而易見的。

銅的硬度比較低，銅鑄成的劍，鋒利程度比鐵劍差了一大截。爲了改善銅的性質，人們學會在冶煉的時候摻入一些錫，形成青銅。這麼做，硬度的確提高不少，可它的脆性也隨之增大，所以青銅劍不能太長，否則劈砍的時候很容易折斷。相比之下，鐵就不一樣了，使它增加硬度的方法是提高它的含碳量，雖然脆性也會有所改變，可不像青銅那樣明顯。鐵劍既能造得比青銅劍長，又能比它更鋒利。兩軍對陣，持鐵劍肯定要更佔優勢些。

由此，干將和莫邪開始了艱辛的鑄劍之旅。

據說干將四處考察，走遍五嶽三山，採來各地的優質精銅精鐵，然後展開做實驗。先選良辰吉日，等到太陽和月亮同時普照大地的時辰，才開始冶煉爐中的銅鐵精英。

他們帶著三百個童男童女，日夜爲鑄劍的火爐裝炭鼓風，不眠不休，就等著寶劍出爐、光寒照耀十九州的光輝時刻。

然而，三個月過去了，爐中的銅鐵該怎樣還怎樣，一點也沒有熔化的意思。干將和莫邪的首次試驗宣告失敗。

干將急了，抱著老婆痛哭流涕：「爲什麼？爲什麼我費盡心機，就是煉不成鐵劍？我可是給吳王誇下海口了，神劍不成，誓不爲人！」

莫邪沉思道：「師傅教的《兵器冶煉知識概論》告訴我們，要使神物消融化合，必須要有血肉之軀的催助。現在實驗失敗，是否正因爲沒有這樣做？」

干將說：「我們的師傅鑄最後一把劍的時候，也是實驗失敗，他和師母雙雙跳入冶爐之中，這才將神兵鑄成。至今他們的後代每到山上鑄劍，總要素服祭爐，才敢生火。難道這次也要這麼做？」

「既然老師能爲了科學而獻身，我們又怕些什麼呢？」莫邪凜然道。

關鍵時刻，干將卻退縮了，他說：「不用那麼極端吧！人的頭髮和指甲乃父精母血，或許同樣可熔化神物，何必非要以死殉劍？咱倆可是新婚燕爾，造人還未成功，何苦爲了造劍犧牲自己？」

莫邪看了看丈夫，笑著說：「我說說罷了！放心，我不會爲了一把劍丟掉性命的。咱們明天就剪了頭髮和指甲，丟進去試試看吧！」

其實，莫邪嘴巴上這麼說，心裡已經暗自下了決定，她要瞞住丈夫，跳進那個神聖的冶爐中，用自己的身軀和靈魂，鑄出天下第一的神兵來。鑄劍是她生命中最重要的目標，爲了成就這個偉大的事業，什麼都可以不要，包括自己的命。

夜涼如水，莫邪悄悄地爬了起來，最後看了一眼還在熟睡的丈夫，獨自一人來到冶爐之旁，吩咐三百童男童女一起鼓風，縱身躍入了熊熊的大火之中。

下一秒，爐中異光閃耀，照得整個天空亮如白晝，大地彷彿都在動搖。須臾，爐中騰上一道白氣，直沖斗牛，到天空又化爲白雲，籠罩住這處所，漸漸轉成緋紅色，映得一切艷如桃花。

干將驚醒，衝出房間，大叫：「老婆，快出來看劍！」

童男童女們一起喊：「師傅，師母已經跳到爐子裡去啦！」

干將愣了半晌，才明白怎麼回事兒，悲從中來，滿臉鼻涕滿臉淚：「老婆……」

這時又有人叫：「師傅，你快看！」

干將抬起頭來，淚眼模糊間，只見爐中光芒散盡，銅鐵已化，裡面竟然躺著通紅的兩把劍！

爲什麼莫邪跳進爐裡，鐵礦就熔化了呢？

後人倒是有一個比較科學的猜測：鐵的熔點是攝氏一千五百度，而古代的冶煉技術相對落後，熔爐內的溫度總與這個熔點有一定的差距，正是煉鐵總難以成功的主要原因。如果眞有人跳進熔爐內，人體內諸如磷之類的物質就可能迅速燃燒，產生高溫，將鐵礦熔化。

看到這兒，干將再也顧不上哭了，大叫一聲，衝上前去，用井華水慢慢地滴下去。那劍嘶嘶地吼著，慢慢地轉成青色。

如是七天七夜，干將不眠不休，日夜守護著冶爐，一刻也不敢離開。終於有一天，爐中似乎看不見劍了，仔細再看，卻還在爐底裡，純青的、透明的，正像兩條冰。

神兵已成！狂喜湧上干將疲憊的臉龐，他小心翼翼地取起這兩把用妻子生命換來的神物，拂拭著、拂拭著……

寶劍一陰一陽，陽劍上鑄有如龜背般的花紋，陰劍上鑄有如水漫溢的紋理。他將陽劍取名爲干將，陰劍取名爲莫邪。雌雄合璧，一如親密伴侶。

闔閭聽說了好消息，命人叫干將交劍。

干將深情地撫摸著莫邪，喃喃地說道：「莫邪，我不能把你交出去，不能！哪怕我去死！」於是只將干將劍獻上。

闔閭接過寶劍，隨手一揮，寒光閃過，旁邊一塊大石應聲裂成兩半。今天在姑蘇城外的旅遊景點虎丘還能看到這塊石頭，名字就叫「試劍石」。

吳王大喜，當即賜給干將一百兩黃金。

然而，紙是包不住火的，沒多久他就知道了干將私藏莫邪劍的事情，大怒，下令交出寶劍，不然殺無赦。

干將無奈，只好取來劍匣，打開。

此時，奇蹟發生了！莫邪劍「鏘啷」一聲從匣中躍出，化爲一條青龍。干將趁勢抓住龍鬚，一躍而上。

眨眼間，青龍升天而去，不見蹤影。

闔閭傻傻地抱著空劍匣，腦袋一片空白：「幻覺，一定是幻覺……」

從此，他更加珍視這把遺留下來的干將劍。直到有一天，魯國的執政大臣季孫前來進行國事訪問，看到這把佩劍，眼饞得不行。闔閭想起從前叔叔季札「心許」徐君的舊事，覺得自己有必要學習一下前輩的高風亮節，於是大方地解下佩劍，交給季孫觀賞。

季孫流著口水看了半天，忽然神情一黯，歎道：「這把劍眞好啊！即使中原所有的鑄劍師加起來，也鑄不出如此神劍，這說明吳國一定能成就霸王之業。可惜美中不足，此劍的花紋中有個米粒般大小的缺口，乃是亡國的徵兆。我雖然很喜歡這把劍，但絕對不敢帶此不祥之物回魯國，君王的厚意，心領了。」

闔閭聽了這番話，怫然不悅，從此將劍深藏宮中，不再使用。吳國亡後，干將劍便不知所蹤。

時光飛逝，歲月如梭，轉眼到了六百年後的晉朝。一個偶然的機會裡，西晉丞相張華發現西北方向常有紫氣沖天而起，直射牛斗之星。

一位善於望氣的奇人雷煥告訴他：「這是劍氣。豫章（今江西南昌）豐城方向，一定藏有寶劍。」

張華笑了：「好，那就給你個肥差，去那裡做縣令吧！」

雷煥做了豐城縣令之後，四處尋找那光射牛斗之墟的寶劍。經過精密的演算，發現劍氣源於縣衙的監獄之中。掘開地基，挖出一個青石製成的匣子，長約六尺，寬約三尺。打開一看，裡面赫然是一把寶劍，光芒四發，不可直視。

雷煥詳觀劍紋，發現這正是失傳已久的「干將」寶劍，不由大喜，連忙帶去給張華看。張華沉思道：「如果這就是干將劍，那麼，莫邪劍很快也要現世了，它們是一對的。」

兩人於是攜劍出遊，四處尋找莫邪劍的下落。

一天，他們路經黃河平津渡口，干將劍突然從鞘中跳出，躍進水中。兩人慌了，剛要派人下水去撈，竟見水面波浪翻湧，躍出兩條巨龍，張牙舞爪，五色炳耀，嚇得眾人連連後退。雙龍向雷煥點了點頭，好像在表示感謝，然後以親熱地脖頸糾纏廝磨，潛入水底，不見蹤跡。

從此以後，這對雌雄寶劍再也沒有在世間出現，想來神物終究還是要回到天上去的。今天江西豐城縣有一座劍池，池前有石門，據說就是雷煥當年挖出神劍的地方。

扯遠了，咱們回過頭來再說闔閭吧！

失去了干將、莫邪這兩個天才劍師，他心裡非常鬱悶，便又開始廣招人才鑄造金鉤，下令說：「能為善鉤者，賞之百金。」

鉤，乃是一種類似於刀的兵器，所謂「吳鉤越劍」。吳國鑄造的金鉤天下聞名，闔閭功不可沒。

重賞之下必有勇夫，這道命令下去，整個吳國都沸騰了。一時間，鑄鉤師成為最熱門的行業。一塊石頭扔下去，砸中十個人，至少有八個是鑄鉤師。

金錢的力量眞的很恐怖，這些鉤師中，有一個爲了貪求吳王的重賞，竟然殺了自己的兩個兒子，把他們的鮮血塗在金屬上，製成兩把神鉤。

他將二鉤獻進宮裡，纏著要錢。

闔閭沒好氣地說：「現在獻鉤的人多了去了，本王每天都要收個千兒八百的，結果全是垃圾！你這倆破玩意兒看起來也沒啥稀奇的，竟然大言不慚要本王給你錢，想錢想瘋了吧！」

那人說：「我這倆鉤的確也沒啥稀奇的，只是在鑄造的時候殺了我的兩個兒子，然後把血塗了上去。」

吳王狂暈：「我的娘啊！這小子眞的想錢想瘋了。好！本王倒要看看，這以血鑄成的鉤有啥稀奇？」

他命人把這兩把鉤混在一大堆「垃圾」鉤裡面，問：「你不是說你的鉤很稀奇嗎？你倒是把它們從裡面找出來啊！」

所有的鉤長得都一模一樣，闔閭就不信了，這小子能把它們找出來？哼！找不出來就殺了他！虎毒不食子，連自己的兒子都殺，眞不是人！

只見那鉤師不慌不忙地走到衆鉤之前，大聲呼喊兩個兒子的名字道：「吳鴻、扈稽，老爸在這裡。大王還不知道你們的神通呢，還不快快顯靈！」

聲音未落，兩把金鉤驟然飛出，盤旋在那人的胸前，好似兩隻艷麗的火鳥，看得大家目瞪口呆。

闔閭大驚：「哎呀！你果然沒騙寡人。我靠！被你打敗了！」於是賞給那鉤師一百兩金子，並從此隨身佩戴這兩把神鉤，一刻也不讓它們離身。

那是啊，一叫鉤的名字就能飛起殺人，哪裡還怕什麼刺客？

3 又一個刺客

跑出殿外，吳王愣住了，失望之情溢於言表。不會吧！眼前這個傳說中的勇士，身高最多不過一米六五，瘦得跟個小雞仔似的，而且尖嘴猴腮，奇醜無比！

闔閭為什麼要費盡心機鑄那麼多的神劍神鉤呢？

除了稱霸天下這個終極目標，還因為他一直都在提防一個可怕的對手，那就是王僚的兒子，公子慶忌。這傢伙，可是一直在招兵買馬，圖謀不軌呢！

不怕賊偷，就怕賊惦記著。公子慶忌不是等閒之輩，有這樣一個人日夜惦記著自己的小命，吳王闔閭是食不甘味、坐不安席，生怕有一天也落得與王僚一樣的下場。

他忍不住了，又找來伍子胥，「過去你推薦專諸殺了王僚，幹得很好，現在我要你再推薦一人，幫我殺掉公子慶忌，怎樣？」

又要幫他殺人，伍子胥覺得自己簡直就是一個惡魔，爲了報仇，雙手沾滿了鮮血，他都有點認不出自己了。可是他也深深地明白，不除掉慶忌，闔閭永遠都騰不出手來幫自己攻打楚國，報仇大計又不知要拖到何年何月。忍辱偷生苟活到今天，不就是爲了要給父兄復仇嗎？

沒有選擇，慶忌必須死！

可是這樣一來，自己又要失去一個可敬的朋友。

他的這個朋友，叫做要離，是個細人（地位低下的人）。

他和要離的宿命相逢，是在某個朋友的葬禮上。

事情的起因，源自一個從齊國來越國參加葬禮的不識相的傢伙，名字叫椒丘欣。

椒丘欣住在東海海濱，武功極高，在江湖上久負威名，人送外號「東海龍王」。

據說，他在參加這次葬禮的路上，經過淮河渡口，想在渡口上飲馬，負責管理的海關人員對他說：「這淮河中有一個水神，看到馬就會出來，將馬搶去吃掉。請你不要在這裡飲馬。」

椒丘欣不以爲然：「壯士在此，什麼神仙敢惹我？」說著不顧而去，飲馬淮河。

下一秒，河面突然波濤洶湧，一道青光閃過，再一看，椒丘欣的馬眞的不見了。

渡口一片驚叫：「水神！有水神！」

了下去。

椒丘欣大怒，脫光衣服，仗劍入水，尋找水神決戰。水神興濤鼓浪，想淹死椒丘欣，可是老椒在水中縱躍如飛，越戰越勇，看得岸上之人目瞪口呆，差點把舌頭都吞了下去。

三天後，椒丘欣從河裡氣喘吁吁地爬了上來，臉上多了個英雄的印記，一隻眼瞎了。淮河渡口頓時沸騰，連水神都殺不死他，眞乃勇士也！

要我看，這水神八成是鱷魚什麼的，估計有可能是俗稱「豬婆龍」的國家一級保護動物「揚子鱷」。

帶著勇鬥河神的無上榮耀，椒丘欣來到了吳國，參加了一位朋友的葬禮。在酒席上，他喋喋不休地誇耀著自己一路上的光輝事蹟，還出言不遜，彷彿在場所有的吳國好漢都沒他厲害，統統都是飯桶、膽小鬼。

伍子胥冷眼旁觀，這種人他見多了，有點本事就目空一切，眼睛長在腦袋上。管他的！隨便他去說吧！不想這時，椒丘欣對面的一個小個子冷笑出聲，站了起來，不屑地說：「笑話！你也算是勇士？」

這個小個子，就是要離。

椒丘欣聞言大怒：「你這個矮個子，哪個道上的？竟敢說我不是勇士！」

要離又是一聲冷笑：「我聽說，眞正的勇士，就算戰死也不願意忍受侮辱。你和水神決鬥，馬沒要回來，外加弄瞎了一隻眼睛，都整殘廢了，還敢自稱勇士？你真把全天下所有勇士的臉都丟光了！貪生怕死，沒用的傢伙！現在還有面目在我們面前自吹自擂，我都替你害臊！」

「你……」椒丘欣氣得直發抖。

要離斜眼又道：「你以為瞎了一隻眼，就是海盜船長了？」

「哈哈哈哈……」席間衆人忍不住大笑。

「你……」椒丘欣你了半天，無法反駁，滿臉羞愧，夾著尾巴落荒而逃。

席間衆人自然又是大笑，伍子胥轉身欣賞地看著要離，道：「要兄好膽色，只是此人被你弄得顏面盡失，小心他找你報復啊！」

要離笑道：「此等天下間最無用之人，怕他做啥？來！伍兄，喝酒！」

當夜回到家中，要離將門戶大開，就在臥室裡坐等椒丘欣前來。

夜半，椒丘欣果然拿了把劍，偷偷摸摸地來到要離家，想找他算帳，卻見外門大敞，不由一愣：「好一個不怕死的傢伙，這次我非要殺了你，以洩我心頭之恨。」

椒丘欣緊握利刃，直入前堂，前堂的門也沒關，他就進了要離的臥室。本以為裡面一定埋伏了一大堆人，沒想到臥室也沒人防守，只有要離一人，披散著頭髮，仰面躺在席上，笑嘻嘻地看著他。

椒丘欣管不了那麼多了，衝上前去，一手拿劍抵住要離的脖子，一手揪住他的領子，惡狠狠地說道：「你有三條該死的罪過，知道嗎？」

要離笑嘻嘻地說：「不知道。」

椒丘欣氣瘋了：「還笑！死到臨頭還笑，你笑個屁啊！我告訴你，你在大庭廣衆面前侮辱我，這是一該死。回家不趕快帶著老婆孩子逃命，還敢大大咧咧不關門閉戶，這是二該死。睡覺不防衛，大搖大擺地躺在床上傻笑，這是三該死。你自己找死，不要怪我！」

要離還在笑：「非也，非也！我並無三條該死的罪過，你卻有三個膽小如鼠的行爲，知道嗎？」

椒丘欣莫名其妙：「我哪裡膽小了？我怎不知道。」

要離說：「我在千餘人面前侮辱你，你卻連一句話都不敢回答，這是第一個膽小。我家門戶大開，你進來時卻連大氣都不敢出一下，這是第二個膽小。我躺在床上，你看到我，卻先拔出劍抵住我的脖子，而後才敢大聲說話，這是第三個膽小。你如此膽小，居然還好意思恐嚇我，不覺得丟人嗎？」

椒丘欣呆若木雞，所有的驕傲瞬間化爲烏有，只剩下無盡的羞愧，不禁長歎：「活了大半輩子，從來沒有人敢輕視我，可沒想到你這個矮矬子卻遠超於我之上，眞乃天下間眞正的勇士。沒錯，我是個膽小如鼠的廢物，我不想活了！」說著把劍一扔，一頭撞死了。

伍子胥娓娓道來，把要離的這件光輝事蹟說了一通，吳王闔閭對這個人大感興趣，馬上說：「好一個眞正的勇士，寡人要請他吃大餐！」

伍子胥於是前去見要離，說：「吳王很仰慕你，想要見你。」

要離大驚：「我不過是個普通老百姓，大王要見我做啥？」

「你去了就知道了。」

要離笑道：「我明白了，大王是要我做第二個專諸吧！」

這邊，闔閭正在宮裡不耐煩地踱著步子，看起來十分焦躁。伍子胥和要離怎麼還不來，寡人等得花兒都謝了。

此時，有人飛報：「報告！伍大夫他們來了，正在殿外候見！」

闔閭快步跑了出去：「不要什麼候見了，寡人親自去見，我一刻也等不了了！」

跑出殿外，他卻愣住了，失望之情溢於言表。不會吧！眼前這個傳說中的勇士，身高最多不過一米六五，瘦得跟個小雞仔似的，而且長得尖嘴猴腮，奇醜無比，站在俊朗雄偉的伍子胥跟前，更顯寒磣。

「這……這就是傳說中的勇士？伍先生，你不要跟寡人開玩笑。」

要離笑了：「小人只是個吳國的鄉下人，手無縛雞之力，風一吹就倒，哪裡是什麼勇士？不過，大王有任何差遣，小人當盡力爲之。」

闔閭心想，你不是勇士，我要你有屁用？看著伍子胥，陰沉著臉不說話。

伍子胥當然知道闔閭在想些什麼，便回答道：「大王，人不可貌相。要離雖醜，但智商高達二八〇，不是一般人啊！」

闔閭又想，殺人講求的是實力，聰明頂個屁用？仍然不說話，臉色更沉。

要離上前一步，說：「大王不就是想殺慶忌嗎？小菜一碟！」

闔閭從來沒聽過這麼好笑的笑話，當下放聲大笑，眼淚都快笑出來了：「慶忌武藝高強，筋骨如鐵，一雙飛毛腿天下沒人追得上，比王僚還難對付。不是我小看你，瞧你弱不禁風的樣子，別說殺他了，恐怕連他的身都近不了。」

「殺人，靠的是腦袋，力氣大有個屁用？只要我能接近他，殺他還不等於殺一隻雞？」

「說得輕巧！那慶忌也不傻，能讓你那麼容易接近？」

要離沉穩地道：「我聽說，慶忌正廣招四方亡命之徒，想對大王不利。大王可以殺了我的妻子兒女，再砍掉我的右手，讓我假裝獲罪潛逃。如此一來，不但能接近慶忌，他對我必然毫無防備。」

闔閭一下子呆住了。自己也算是一個心狠手辣的人，沒想到這個弱不禁風的小子比我還狠！

「寡人不能這麼做，寡人是個好人來的，這不是陷寡人於不義嗎？」

「我聽說安樂於妻兒的歡樂，不思報效國家，就是不忠。貪戀於家室的情愛，不思消除國家的憂患，就是不義。我能夠得到忠義的美名，就算搭上全家老小的性命，在所不惜。」

闔閭萬萬沒想到這個貌不驚人的小矮子，竟有如此高的覺悟，專諸和他比起來都有差距，點頭道：「那好，我就成全你的忠義。你爲國忘家，爲主忘身，眞乃千古豪傑也！放心，你死後，寡人會派人大力宣傳你的光輝事蹟，讓你揚名後世，永遠活在吳國人民的心中。」

將兩個刺客相比，專諸畢竟還會顧慮一下自己的老母妻兒，而要離這種自虐狂人，冷血無情，爲了揚名可不擇手段，連自己的身體和家人都不在乎。想必闔閭的心中，更喜歡要離這樣的奴才多些。

4 人肉炸彈

敢死隊順江而下，準備前往吳國展開恐怖行動。要離和慶忌同在一艘船上，行至急流，漸漸和後面的船拉開了一段距離。要離暗喜，刺殺的機會終於到了！

第二天，伍子胥和要離一起上朝，按計劃推薦要離為大將，請兵伐楚。

闔閭佯怒道：「你吃錯藥了吧！這個要離恐怕連個小朋友也打不過，你要他伐楚，不是讓天下諸侯笑話我嗎？再說寡人剛當上王，還沒快活夠呢！不想打仗！」

要離見狀上前一步，像個潑婦一樣跳腳罵道：「你這個昏君，竟敢小瞧我，我頂你個肺！」

闔閭大怒：「你這個鄉下無賴，居然敢辱罵寡人，不想混了！來人，把他的手給我砍了！」

幾個如狼似虎的武士衝上來，當下砍了要離的手，將他投進大獄。

幾天後，監獄的士兵故意放鬆守衛，讓要離逃了出來。

闔閭大怒，緊接著派人殺了要離全家，燒了屍體，銼骨揚灰，撒在姑蘇城街頭。可憐的要離家人，他們想必完全不知道這其實是自己的丈夫、父親出的主意。怪只怪他們選錯了人，可悲可歎！

後人評價此事，說闔閭殺一不辜而得天下，仁人不肯爲之，又說要離與吳王平生無恩，特以貪勇俠之名，殘身害家，亦豈得爲良士哉？

唉！要離之所以去國忘家，殺身成仁，爲的就是揚名後世。他要是知道後人對他是如此評價，在黃泉之下，豈不是要痛苦地再去死？

確實，後世對專諸的評價都遠遠高於要離。《左傳》沒有要離，太史公寫《史記·刺客列傳》也沒有他，只有一部不出名的《吳越春秋》，給了他區區數百字的筆墨。看來，史家們都有志一同地進行了選擇性忽視。

或許大家都認爲，這種行刺，太殘戾；這種人，太可怕。誰做了他的家人，那可眞是倒了八輩子的楣！

要離逃出吳國，開始四處散播怨言，說自己怎麼怎麼慘，怎麼怎麼冤，一路訴苦到衛國找到慶忌，對他說：「闔閭這個暴君，殺了我全家，公子你要替我報仇啊！」

慶忌看了看要離空飄飄的袖子，說道：「放心，闔閭這傢伙也是我的仇人，咱們同仇敵愾，一起殺了他，打回老家！」

這個苦肉計實在太慘毒了，慶忌再聰明也不會懷疑，他收容了這顆埋在自己身邊的人肉炸彈，並很快視他爲親信。

很多時候，共同的仇恨，會讓兩個素不相識的人成爲好朋友，就像後來的伍子胥和伯嚭。可惜，慶忌想不到，要離原來是史上最冷酷無情的殺手。

三個月之後，慶忌訓練出一支敢死隊，順江而下，準備前往吳國展開恐怖行動。要離和慶忌同在一艘船上，行至急流，漸漸和後面的船拉開了一段距離。要離見狀暗喜，刺殺的機會終於到了。

他對慶忌說：「這裡水急灘險，公子，您最好親自坐在船頭，爲舵手指點方向。」

慶忌不疑有他，來到船頭坐定，要離手執短矛在旁護衛。好死不死，江中忽然刮起一陣怪風，要離立刻轉身立於上風處，借助風勢，手把短矛，使出吃奶的勁兒，照著慶忌的心口便刺，透入心窩，穿出背外。

慶忌強忍劇痛，一把抓住要離，像個小猴子似地倒提起來，揪住他的頭往水裡按，如此三次，灌得要離連北都找不著。

正中心臟都不死，慶忌還是不是人哪？

接著，慶忌提起要離，放在腿上，盯著他，眼中居然露出欣賞之色：「天下間有你這樣的勇士，眞了不起啊！竟敢行刺我！」

左右士兵一窩蜂地衝上來，慶忌搖手阻擋說：「此人乃是天下少有的一個勇士……怎麼能在一天之內死掉兩個勇士呢？放他回吳國吧……可惜了，這樣的一個勇士，卻不能爲我所用……天乎！」說完一把推開要離，拔出心口短矛，血流如注，立時氣絕。

這就叫，膽小的怕膽大的，膽大的怕不要命的，不要命的怕全家命都不要的。

要離爲了行刺，連全家的命都可以不要，簡直達到了殺手的最高境界，也怪不得強如慶忌都得著道。

要離傻傻地看著慶忌的屍體，心裡卻一點成功的喜悅都沒有。我都做了些什麼啊？這就是我要的結局嗎？爲了那個該死的揚名立萬，我害死了我的至親，又殺死了一個眞正的勇士，不仁不義，喪盡天良，還有什麼顏面活在世上？

旁邊的士兵們也都難以置信地看著眼前的情景，他們萬萬沒有想到，自己心目中最強大的武士慶忌，死在了一個沒沒無名的獨臂矮子手上。

他們一個個扔了手中的兵器，對要離說：「你走吧！公子說了，放你回去。」

要離淒然一笑：「我害死了自己的妻兒，又殺死了眞正欣賞我、信任我的公子，還有什麼顏面見天下人？」一個筋斗便翻入滾滾江水之中。

衆人大驚，連忙七手八腳把他又撈了上來。

要離半死不活地躺在船上，呻吟著說：「你們爲什麼要救我？爲什麼不讓我死？」

「幹嘛非要死呢？榮華富貴在等著你呀！」

「我連家室性命都不懂得珍惜，還在乎什麼榮華富貴？你們帶著我的屍體回去找吳王領賞吧！算是我們相識一場而送給你們的禮物。」說著，要離一把奪過隨從的佩劍，斬斷自己的雙腳，繼之自刎而死。

兩個字，慘烈！

古人有死，其輕如羽，不唯自輕，並輕家人妻子。專諸、莫邪，還有那位殺死自己兒子的鉤師如此，要離更是如此。可以說，這都是吳王闔閭造的孽。有什麼樣的王，就有什麼樣的國人。

吳王不愛惜自己百姓的生死，百姓不愛惜自己和家人的生死。如此彪悍的國家，難怪後來可以橫行中原，殺得齊楚哭爹叫娘。自東晉南朝以降，中原士族「衣冠南渡」，江南風尙這才從尙武變成崇文，彪悍的銳氣慢慢被消磨殆盡。

確實，吳王闔閭這個人給我們的印象，就是信奉暴力、殘忍好殺，重用勇猛有力的人，輕視臣下和百姓的生死，比之年代稍早一些、養了一群大俠的齊莊公，眞是有過之而無不及。

據說，他有個女兒名叫勝玉（玉在古代是男子的代稱，如明太祖朱元璋的「璋」就是玉的意思，所以「勝玉」的意思就是「勝男」，由此可見吳王對此女的喜愛）。有一次父女倆吃飯，闔閭因爲在考慮攻打楚國的事情，無意間將一條魚先嚐了一半才送給女兒吃。

偏偏春秋時期古人吃飯是分餐制，勝玉當即滿臉悲憤地說：「老爸拿吃剩下的魚給我，對我來說是奇恥大辱，我沒臉活了！」隨即自殺。

這樣也要死？剛烈果然不輸男子，怪不得叫勝玉。

闔閭大悲，將愛女葬在姑蘇城西閶門外大道的北邊，鑿池積土，挖出一個大湖來。並用包括神兵「盤郢」（歐冶子五劍之一）在內的一大堆奇珍異寶爲其陪葬。這還不夠，接著舞白鶴於吳市之中，讓百姓跟著看，等大傢伙進了墓道後，立即關上墓門，成千上萬的民衆就這樣活活被憋死在裡面，給他死去的女兒陪了葬。闔閭還美滋滋地說：「有幾萬個人陪著我的乖女兒，想必她在地下不會寂寞。」

解釋一下，和東夷人一樣，吳越之人崇拜鳥，「白鶴舞」是吳地用以喪葬祭祀的舞蹈。這既可以解釋爲吳王讓一群白鶴翩翩起舞，也可以解釋爲讓一群人模仿鶴的姿勢跳「白鶴舞」。現在江南地區有些地方，葬禮還有紮紙鶴的習俗。

這件事雖然只見於《越絕書》，不見於其他正史記載，但從闔閭前後的言行來看，這等挨千刀的事，他眞可能幹得出來。好一個暴虐殘忍的國君！爲了他自己，什麼人都可以死。

可是，我們也不能否認，闔閭能算吳國有史以來最爲雄才大略的一個君主。正是在他的鐵腕統治下，吳國從一個偏僻窮困的蠻夷小邦日趨強盛，發展成爲春秋晚期霸主級別的大國。只用了幾十年的努力，居然趕上晉、楚等國數百年的經營，不能不說是中國古代的地區經濟奇蹟，簡直可以和二十世紀七、八〇年代的亞洲四小龍媲美。

吳王闔閭可以說是秦始皇的縮微版，同樣鐵血暴虐，同樣毀譽參半，但對中國的歷史還是有貢獻的。後來的魚米之鄉江南，經過幾個朝代的發展，經濟逐漸趕上北方，他有首創之功。當然，楚國亡臣伍子胥也功不可沒。

5 君子小人說

郤宛信以為真，傻傻地把一大堆兵器藏在了門邊的帳幔裡。第二天，費無忌帶囊瓦前來赴宴，走到一半，突然說：「我有不好的預感，郤宛該不會是有什麼詭計吧？」

心腹大患慶忌死了，吳國國力日強，闔閭完全具備了稱霸中原的資本，雄心勃勃，決定拿楚國第一個開刀。

伍子胥知道，自己打回老家找費無忌報仇的日子一天比一天近了，幹勁十足地準備著伐楚的各項事宜。

大戰前的興奮讓他激動萬分，一夜一夜地睡不著覺。不想就在這個當口，楚國國內發生了一件意想不到的事，徹底打亂了他所有的計劃。

前面我們提到過，王僚死後，孤立無援的掩余、燭庸棄軍逃跑，楚國大將左尹郤宛撿了個大便宜，不費一兵一卒搞定吳軍，還得到一大批的武器裝備。大勝回國後，更得到百姓的愛戴和楚昭王的信任。

楚昭王從此經常和他徹夜長談，往往直至次日早晨。

這時，那個天生卑鄙的小人費無忌眼紅了。我才是大王的師傅，你他娘的，居然敢跟我爭寵，不想混了！費無忌越想越氣，決定重施故技陷害郤宛，讓他到地底下和伍奢做伴去。

那時楚國的高層領導，在楚昭王之下，有這麼幾號人物：一把手是令尹囊瓦，總理朝政；二把手是司馬沈尹戌，主管軍隊；三把手是左尹郤宛，助理朝政；四把手是右尹鄢將師，也是助理朝政；五把手就是太師費無忌了。不過，太師其實是個虛職，沒啥實際權力。

權力就是一棵樹，要想往上爬，就得幹掉自己上面的那一位，這群人裡面，「四把手」鄢將師和「五把手」費無忌都是正宗的小人，生平最大的愛好就是陷害人，便想幹掉上面的「三把手」郤宛，好讓自己更上一個台階。

寧願得罪一個君子，也千萬不要得罪一個小人，可是有些時候，不得罪他們也沒好日子過，因爲你擋著了路。唉！小人眞是這世界最難防的一群人。越是君子，越容易著他們的道。

郤宛就是這麼一個倒了八輩子楣的君子，渾然不知費無忌和鄢將師已經挖好了一個大坑，想讓他跳下去。

這一天，費無忌找到一把手令尹囊瓦，說：「子惡（郤宛的字）想請你喝酒，又怕你不肯屈尊，所以託我來探探老大你的口風。」

囊瓦笑道：「同僚之間聯絡感情，這是好事啊！你跟子惡說，我一定去。」

費無忌轉身又找到郤宛：「令尹說要來你家喝酒，你是答應，還是不答應呢？」

郤宛渾然不知前面有個大坑在等著，受寵若驚地說：「令尹大人這麼給我面子，我有啥不答應的？只是我這個人不懂得拍馬屁，不知怎麼招待這個貴賓。你對這個比較熟，教教我吧！」

「這就是兄弟你啊，一般人我都不告訴他。其實令尹這個人是個兵器愛好者來的，他聽說你先前搶了一批吳國的武器裝備，心裡羨慕得很呢！到時你就把這些兵器藏在院子裡，等他來了就送給他，給他一個驚喜。」

拜託！這樣一搞，不是驚喜，是驚嚇吧！

郤宛信以為真，傻傻地把一大堆兵器藏在了門邊的帳幔裡，還對費無忌又是握手又是感謝，連講對方夠義氣。

什麼叫被人賣了還幫別人數錢？這就是。

第二天，費無忌帶著囊瓦前來赴宴，走到一半，突然一拍腦袋：「哎呀！我有一個不好的預感，郤宛突然請你吃飯，該不會是有什麼詭計吧？這年頭流行暗殺解決問題。」

囊瓦一愣：「我和子惡遠日無冤、近日無仇的，他幹嘛要害我？」

費無忌說：「話不能這麼說，所謂害人之心不可有，防人之心不可無，人心難測啊！我聽說，吳王僚就是吃飯的時候被人幹掉的，那叫一個慘喲……」

囊瓦慌忙說：「那你趕快幫我去郤宛家打探一下，沒事兒最好。」

費無忌躬身一行禮，風馳而去，沒一會兒連滾帶爬地跑了回來，氣喘吁吁、滿臉驚慌地說：「不得了啦！不得了啦！不……不……」

好演技，佩服！

「別急，慢慢說，到底發生什麼事了？」

「相國，我差點兒就害了你了。郤宛這個奸賊，在門邊的帳幔裡藏了一大堆的武器鎧甲，想對你不利呢！依我看，此人八成是個吳國特務，上次如此輕鬆地就搞定吳軍，我就覺得不對勁了，現在想來，一定是串通好了的！」

囊瓦簡直不敢相信自己的耳朵，連忙派人再去一趟，查探清楚。沒多久，探子回報，果然在郤宛家發現一大堆武器鎧甲。囊瓦大怒，當即找右尹鄢將師來，要他把郤宛抓來嚴加審問，追查同黨。

鄢將師可是費無忌一夥的，怎麼可能讓郤宛活著，再生變數？這樣陰謀不就落空了嗎？一轉身出去就調遣軍隊攻打郤家，一個活口也不准留。

郤宛看著門外黑壓壓的軍隊，絕望地歎了一口氣，伏劍自殺。

鄢將師當然不肯甘休，斬草就要除根，不但郤家全都要死，郤宛的親朋好友關係不錯的也統統都得死！當即傳令下去，放火焚屋，把裡面的人全部燒死，一個活人也不准出來。

這麼一搞，周圍的群眾不答應了：「郤青天是個好官來的，你們不能放火，抗議！抗議！抗議！」

一時間，山呼海嘯，震得大地搖晃起來。這，就是人民的力量。

鄢將師陷入人民戰爭的汪洋大海之中，氣急敗壞，大聲喊：「誰敢阻止執行公務，與郤宛同罪，殺無赦！」

士兵們衝了上來，驅散人群，將席子和稻草擺在郤家門前，準備放火。群眾還不放棄，蜂擁著擠開攔在前面的「保安」，搶過所有易燃物品，就是不准鄢將師放火。

鄢將師火了，命令「員警」動武，驅趕瘋狂的群眾，然後親率家眾，將前後門圍住，放起大火。不多時，郤宛府內傳來淒厲的哭喊聲，就見火光沖天，映紅了天邊的晚霞，景色美極了。

可憐郤氏一族老小就這樣全葬身在了火海之中，郤府化為一片灰燼。

這還不夠，鄢將師馬不停蹄，四處捕殺與郤宛交好的無辜楚臣，整個郢都陷入一片白色恐怖。郤宛事件是楚國歷史的一個轉捩點。在這次大清洗中，很多優秀的人才都被牽連進去，冤殺的冤殺，流放的流放，從此人才凋零，直到很多年後才逐漸恢復元氣。據說，日後大放光芒的文種、范蠡兩個牛人，正是怕受到牽連，才選擇逃到越國去的。

費無忌的借刀殺人、驅虎鬥狼之計用得眞是爐火純青，讓人防不勝防。這段偉大事蹟在《呂氏春秋》、《韓非子》等文獻中均有記載。眞不愧為小人之中的極品，中國小人界的一代開山祖師。

然而，公理自在人心。郤宛忠肝義膽，甚得民心，全楚國的老百姓都為他喊冤叫屈：「鄢將師和費無忌以楚王自居，殺害忠臣，專權而禍亂楚國，削弱孤立王室，蒙蔽君王和令尹以為自己謀利。令尹都相信他們了，國家要怎麼辦？」

流言越傳越廣，民憤越來越強，就連給令尹家送豬肉的小販們都為郤家打抱不平，故意拿劣質肉給囊瓦吃，還在後面偷偷指責他。一時間，民怨沸騰，就差上街遊行貼大字報了。

囊瓦每日被人在後面戳著脊樑骨罵，恨得牙根癢癢的。費無忌這個小人，都是你害我失去民心的，我饒不了你！

「二把手」沈尹戌適時找上門，對囊瓦說：「人民的呼聲，您應該有耳聞了吧！費無忌是個專以陷害他人爲樂的壞蛋，從前太子建和伍奢一家的冤屈就是他幹的好事，如今令尹大人您又一次輕信了他的讒言，殺死那麼多無辜的人，搞得天怒人怨，再這樣下去，會出大事的！除了費無忌這個小人，鄢將師也不是什麼好東西，他假傳您的命令，消滅郤家等好幾個大家族，這些人中，不乏賢臣良將。現在吳國正虎視眈眈，邊境一天天緊張，萬一藉我國政局不穩打過來，大人您恐怕就危險了！」

囊瓦其實就等著沈尹戌這句話呢！嘿嘿，有你幫忙，一切都好辦了！於是趕忙道：「是啊！是啊！這全都是費無忌和鄢將師兩個人惹的禍！希望司馬您助我一臂之力，幹掉這兩個混蛋。」

沈尹戌大喜：「此社稷之福，敢不從命！」說完跑到大街上，振臂一呼：「費無忌和鄢將師兩個小人害死了郤左尹，令尹命令我去討伐他們，願意去的一起來！」

話音未落，百姓們已爭先恐後地拿起鋤頭和鐮刀。

費無忌和鄢將師陷害別人挺厲害，一動眞格了卻沒半點本事，垂頭喪氣，束手就擒。囊瓦歷數其罪，梟之於市。百姓們群情洶湧，兀自不肯罷休，又衝到二人府第放起大火，滅了他們全家。

害人終害己，說的就是費無忌了。

小人嘛，總是如此，精明是夠精明，卻沒有大將氣度，更沒有什麼遠見，因此不會在製造一個個具體的惡果時意識到，這些惡果最終組接起來，將會釀發出一個巨大的苦果。不斷調唆權勢和輿情的初期，似乎一切都順著他們的意志發展，可當權勢和與輿情終於勃然而起的時候，連他們也不能不瞠目結舌、騎虎難下。

順風順水的時候得意忘形，可一旦事態反轉就慌了手腳，完全控制不了局面，這就是小人和奸雄最大的區別。

所以說，費無忌雖然害死了那麼多大英雄，充其量也只能算是個出色的小人，和闔閭、曹操這樣的大奸雄相比，道行差遠嘍！

6 同病相憐

郤宛的兒子伯嚭竟然奇蹟般地逃脫出來，一口氣跑到吳國投奔伍子胥。兩個老鄉一見面，馬上兩眼淚汪汪，抱頭痛哭了一番，然後伍子胥帶著伯嚭去見闔閭。

費無忌被滅族的消息傳開來，全天下都感覺大快人心，只有有一個人煎熬了，這個人，就是咱們的白髮魔男伍子胥。

費無忌死了！他居然這麼快就死了！老天爺怎可如此不公？還沒等他動手，仇人就一個接一個早早地死掉了。到頭來，還是沒能親手爲父兄報仇。在伍子胥看來，世界上最殘酷的事，莫過於此。

這是一個淒冷的黃昏，黑壓壓的天空陰雲慘澹。伍子胥仗劍傲立在姑蘇山之巔，白髮飄揚，面色猙獰，一雙仇恨的眼睛望著楚國的方向，在暮色中閃出可怕的寒光。

喉結滾動，發出困獸一般的低吼。

沒辦法，現在我只好把仇恨發洩到整個楚國的頭上了。不要怪我，這都是你們逼我的！他高舉父親留下的七星寶劍，仰天長嘯：「我要楚國死無葬身之地，永世不得翻身！」

話音一落，一道白光劃破夜空，電閃雷鳴，豪雨傾盆，世界變成一片鬼蜮。

與此同時，郤宛的兒子伯嚭，竟從滅門慘劇中奇蹟般逃脫出來，一口氣跑到吳國，前來投奔同病相憐的伍子胥。

兩個老鄉一見面，馬上兩眼淚汪汪了。他們先抱頭痛哭了一番，然後伍子胥帶著伯嚭去見吳王闔閭。

闔閭問：「我們吳國僻處東海，先生爲何要不遠千里地來投奔寡人呢？」

伯嚭一把鼻涕一把眼淚地說：「我老爸在楚國老老實實地當官，沒招誰也沒惹誰，卻無端被人陷害，慘遭毒手，我也變成了一個無家可歸的通緝犯。我聽說大王您收留了窘困之中的伍子胥，很講義氣，所以不遠千里來投靠。希望大王您行行好，也收了我這個小弟，我伯嚭願爲您效死力。」

闔閭惻然道：「啥也別說了，眼淚嘩嘩的。從今天開始，你和伍先生就是寡人的左膀右臂，咱們一起打倒楚國，共創輝煌！」

剛從朝堂上下來，很久以前推薦過伍子胥、很會算命的那個被離被半仙忽然出場，偷偷拉過伍子胥，問：「你怎麼就那麼信任伯嚭？要知道，人心隔肚皮啊！」

伍子胥回答說：「你這麼想就錯了，有一首流行歌曲《河上之歌》唱得好：『同病相憐，同憂相救。驚翔之鳥，相隨而集。瀨下之水，回復俱留。』我和伯嚭因爲同樣的不幸遭遇而互相同情、彼此支持，就好像受驚的群鳥，聚集而飛，受阻的流水，迴旋聚合。誰不喜愛與自己命運相近的人？誰不悲憫自己思念的人？我不信任他，信任誰呢？」

有這種想法其實很正常。心理學家夏克特所做的實驗顯示，當人面臨焦慮情境，譬如被告知將參加非常痛苦的電擊實驗時，會下意識地選擇和將參加同樣實驗的人一起等待，而不是單獨一人或和其他不相干的人在一起。

這種心理反應顯示我們在焦慮不安時，不但喜歡有人作伴，而且會渴望能和有同樣遭遇的人作伴。

實驗還顯示，最能降低焦慮、走出悲傷的方法，不只是和有同樣遭遇的人「同病相憐」，更需要「同憂相救」，大家一起來謀求對策。這也正是伍子胥和伯嚭能互相安慰、互相支持的原因。

被半仙卻搖搖頭說：「非也，你只看到了事物的表面，沒有看到人的內心深處。以我看相多年的經驗，伯嚭這個人目光像鷹，走路像虎，明顯是專功而擅殺的性格，還是離他遠點兒好。我言盡於此，你好自為之吧！」

別說，後面發生的事情，果真證驗了被半仙的預言。

對於這番算命理論，伍子胥當然不以為然，他認為自己和伯嚭同病相憐、同仇敵愾，根本沒有反目的可能。他把伯嚭當成了在吳國最好的朋友，掏心挖肺，有什麼事兒都和他一起商量。

伯嚭也因為在吳國立足未穩，需要踩著伍子胥往上爬，所以對他十分尊敬。這兩人很快發展得如膠似漆，好得就差穿同一條褲子了。

兩位命運極其相似的楚國亡臣，因為相同的革命理想走到了一起，共同的利益暫時維繫住了貌似堅貞的友誼。可是，和伍子胥不同，伯嚭並不是只想著報仇，他有著自己的小九九。說穿了，伍子胥只不過是他邁向權力高峰的一顆「炮」子，一旦這個小「炮」子沒有了利用價值，甚至擋住了自己的路，他會毫不留情地借個「車」來把它吃掉。

從這一點來看，伯嚭在本質上和費無忌並沒有不同，只不過道行更高一些，偽裝得更好一些罷了。

正所謂性格決定命運，伍子胥逃離了一個小人的毒手，卻又掉進了另一個小人的陷坑，不能不說是他此生最大的悲哀，眞是春秋時代最令人扼腕的一個悲劇人物。

當然，這是後話。

7 兵家聖祖

兩顆美麗的人頭滾落，艷麗的鮮血綻放如花。清晨的風摻雜著令人作嘔的血腥味，孫武滿臉平靜地繼續開始訓練，好像剛才什麼事兒都沒有發生過一樣。

且說吳王闔閭厲兵秣馬了三年，終於忍不住想要攻打楚國，一試鋒芒了。他找來伍子胥和伯嚭，問道：「寡人欲為二卿出兵，你們覺得如何？」

兩人狂喜，齊聲道：「太好了！我們都願意為大王效死命！」

看著他們的神情，闔閭卻忽地想到，這兩個上天賜給吳國的人才，畢竟只是因為要報仇才歸順到自己的麾下，大仇報後，也許就不會像從前那麼盡力了，一下子竟多愁善感起來。

唉！鐵血君主居然也有多愁善感的時候。他默默無語地轉身登上高台，迎著南風一聲長嘯，嘯畢，又是一聲長歎。

伍子胥知道，闔閭在擔憂吳國沒有一位眞正能一舉定乾坤的將才，便推薦了春秋時代最爲閃亮的一顆將星——兵家聖祖，孫子。

孫子，名武，字長卿，《吳越春秋》說他是吳國人，《史記．孫子吳起列傳》卻說他是齊國人，大族田氏的後代，因爲內亂才逃到吳國，歸隱田園，專心研究兵法。至於孫武的具體身世，史書上語焉不詳，《左傳》中甚至對這個兵家第一人連隻言片語都沒有，所以後世很多人懷疑，歷史上是否眞有此人存在？直到一九七二年四月，山東省臨沂縣銀雀山漢墓出土了實實在在的證據——竹書《孫子兵法》殘篇，其中「吳問」篇記錄了孫武和吳王的對話，這才打消很多人的疑慮。

吳王闔閭聽伍子胥把孫武誇得天花亂墜，心下大喜，連忙派人召孫武前來面試。對於孫武，吳王闔閭內心抱有很大的期望，因爲人力資源部主任伍子胥這些年來給他推薦的每一個人，都是那麼的出色，那麼的讓人滿意。

孫武果然沒有讓他失望，呈上的每一篇兵法，都讓闔閭忍不住擊節叫好：「觀此兵法，眞通天徹地之才也。但恨寡人國小兵微，如何而可？」

孫武信心滿滿地說：「臣之《兵法》，不但可以用於軍隊，就算是一群弱質女流，也可以訓練成威武之師。」

闔閭的老毛病又犯了，放聲大笑，笑得前仰後合：「沙場征戰，一向都是男人的專利，寡人從來沒聽說女流之輩也能操戈習戰的。新鮮！真新鮮！」

孫武說：「大王如果不相信，可以用您的宮女來做個小規模實驗，不知大王能否割愛？」

闔閭笑道：「這有什麼不可以？來人啊！把寡人的宮女們全都叫來！這些丫頭最近活得挺滋潤，正好可以借藉練一下身體。」

不一會兒，後宮三百佳麗就集合完畢了。

小姑娘們穿上從未穿過的甲冑，滿臉新奇地擺弄著手上的劍戟戈盾，唧唧喳喳吵個不停，還以爲在玩一個有意思的遊戲。

孫武陰沉著臉站在一旁，心想，現在且讓妳們得意一下，待會兒有妳們好受的！

闔閭先煞有介事地對後宮佳麗發表了一通訓話，然後轉身對孫武說：「孫先生，可以開始啦！」

孫武說：「且慢！請大王先任命兩名宮女爲隊長，這樣比較好管理。」

闔閭站起來，叫出兩位美女，說：「這是寡人最喜歡的兩個寵姬，一個叫左姬，一個叫右姬，就讓她們來當這個隊長吧！」

孫武於是將這群娘子軍分爲兩隊，讓左姬和右姬各管一隊，然後宣佈紀律：「第一，命令站哪就站哪，不許隨便走動；第二，保持安靜，不許交頭接耳嗑瓜子；第三，一切行動聽指揮，不許違反軍令！」

說完，他宣佈解散，明早五鼓到姑蘇城北校場山全體集合，正式訓練佇列，吳王闔閭屆時會在高台上觀看。

第二天一早，宮女們在操場上集合完畢，孫武滿臉嚴肅地站在這群嬉皮笑臉的女孩子面前，軍訓正式開始：「肅靜！肅靜！先聽我介紹一下佇列行進的基本要領。妳們知道前心、左右手和後背的位置嗎？」

眾美女捂嘴直笑：「知道！左右不分那是棒槌！」

孫武怒：「素質！注意妳們的素質！不准笑，聽清楚了，待會兒我說向前，妳們就看心口所對的方向；我說向左，妳們就看左手所對的方向；我說向右，妳們就看右手所對的方向；我說向後，妳們就看背所對的方向。一切行動都要聽著我的鼓聲指揮，知道了嗎？」

眾美女嘻嘻哈哈地回答：「知——道——啦！」

孫武再怒：「嚴肅！嚴肅一點！這是軍訓，不是在玩遊戲。我現在再把注意事項說一遍，妳們要認真地聽！軍隊當嚴守紀律，令行禁止，做到全隊上下一心，共同進退，這樣才能打勝仗！」

眾美女七嘴八舌地抗議起來：「快點開始吧！教官，早點結束早開飯！嘰嘰歪歪說了一遍又一遍幹什麼？見過囉唆的，沒見過你這麼囉唆的！」

孫武強忍怒火，來到帥台，叉著腰，命令鼓手擊鼓發令：「向右——轉！」

眾美女爆笑如雷，有的甚至學起孫武的神情，叉著腰，嗲聲嗲氣地學起他的山東口音來：「向右轉！俺叫妳們向右轉，聽到了沒有？」

孫武的嚴厲軍令和指揮佈置，對這群可愛的美女來說，簡直比什麼遊戲都好玩。略帶山東口音的腔調，竟然成了她們模仿和嘲笑的對象。

孫武教官感覺很沒面子，但仍強壓住怒火，說：「紀律還不清楚，號令不熟悉，這是將領我的過錯。好！這次就算了，咱們接著訓練下一個項目，大家要認眞地做。待會兒我敲第一遍鼓，全體立正；第二遍鼓，全體手持兵器向前走；第三遍鼓，全體擺出戰鬥姿勢。聽到了沒有？」

「聽——到——了！」

「這次可不能再笑了，否則別怪我不客氣！」

說完，他擼起袖子，親自拿起鼓槌擂鼓：「立——正！」

有人又笑了，抱著肚子，前仰後合。

「向前——走！」

沒人往前走，爆笑像傳染病一樣散播開來，整個隊伍都在笑。有的笑得直不起腰來，有的笑得蹲在地上，有的甚至一屁股坐在地上，眼淚直流。

這次孫武眞的發飆了，怒髮衝冠，脖子上連接帽子的絲帶應聲斷裂。成語「怒髮衝冠」典出於此。

只聽他一聲虎吼：「執法何在？」

執法官上前跪倒：「在！」

「紀律弄不清楚，號令不熟悉，這是將領的過錯。現在既然講得清清楚楚，卻不遵照號令行事，就是軍官和士兵的過錯了。你說，依軍法當如何論罪？」

「當斬！」

孫武雙目圓瞪，喝道：「既是如此，來人啊！把兩個隊長推出去，斬了！」

左姬和右姬頓時花容失色，明白這次不是玩遊戲，大哭：「教官，我們錯了，我們再也不笑了！大王，救命啊！」

闔閭連忙求情：「寡人知道將軍你的厲害了，你見好就收吧！寡人要是沒了這兩個寵姬陪伴，吃飯都沒胃口……沒有她們的夜晚，不能活啊！」

「不行！我既然受命爲將，君命便有所不受。」孫武不爲所動，喝令左右：「速斬二姬！」

兩位美女就這麼被人推了下去，按在刀上，隨著尖利的哀號，兩顆美麗的人頭滾落，艷麗的鮮血綻放如花。

世界一片寂靜，清晨的風摻雜著令人作嘔的血腥味，拂過每個人震驚的臉龐。

孫武重新任命了兩個新隊長，滿臉平靜地繼續開始訓練，好像剛才什麼事兒都沒有發生過一樣。

這一招「殺雞給猴看」果然奏效。宮女們看了這場畢生難忘的「好戲」後，一個個變得無比老實，不論是向左向右、向前向後、臥倒、站起，無不規規矩矩，連眼睛都不敢眨一下。

兩支隊伍寂然無聲，婀娜的佳麗奇蹟般變成了一支紀律嚴明的娘子軍。

在現代人看來，孫武的訓練方法太過殘忍，不講人權，一點兒都不懂得憐香惜玉。如果咱們大學軍訓時女同學笑場，最多不過被罰唱歌，敬愛的教官哥哥可不捨得體罰她們，更何況砍頭？

這就是時代的不同而造成的觀念差異。冷兵器時代，打仗沒啥科技含量，所以嚴明的軍紀對一場戰爭的勝敗相當重要，軍隊越有紀律，勝算越大。從這一點來看，砍一兩個人的腦袋能救整個軍隊，甚至整個國家，又有什麼好非議的呢？

孫武見大功告成，遣使報告吳王闔閭說：「報告大王，隊伍已經操練整齊，請大王檢閱。這群女戰士，完全可以送上戰場了。赴湯蹈火，平定天下，不會比任何一支軍隊差！」

吳王仍沉浸在痛失小蜜的悲傷之中，哪裡有心思搞閱兵儀式？長歎了一口氣，對孫武說：「我知道你善於用兵，可以助寡人稱霸天下，但我們這兒廟小，容不下你這樣的大德！現在閱兵取消，隊伍解散，大家該幹嘛幹嘛去吧！」

孫武耷拉下腦袋，失望地說：「王徒好其名，不用其實。」

眼看這麼一個大人才就要在自己的眼前溜走，伍子胥忙站出來進諫說：「兵者，兇器也，不可只試不用。帶兵打仗，不殺一兩個不聽話的人，怎麼能治好軍？大王想要伐楚稱霸，就必須留住孫武這樣的人才。只有他才能帶領吳軍，雄赳赳氣昂昂地殺過漢水，打到楚國老家郢都去。所謂千軍易得，一將難求；美女易得，孫武難求。只因爲兩個寵姬而放棄一個難得的賢將，何異於撿了芝麻而丟西瓜？這等賠本的生意，大王不能幹哪！」

是啊！闔閭聽了這番話，開心起來，把兩個心愛的小蜜忘到了九霄雲外。想想自己的稱霸路，死的人還少嗎？再多兩個美女也沒啥區別吧！

就這樣，吳王闔閭火速成立伐楚稱霸工作組，自己任組長，伍子胥和伯嚭任副組長，孫武任高級顧問。

伐楚工作，立即成爲當前的重中之重。

連嬌滴滴的宮女都能被孫武這個兵法天下倒騰成像模像樣的軍隊，更何況是彪悍成風的吳國士兵？沒過多久，他就訓練出了一支精銳無比的「海軍陸戰隊」，不多，總共三萬人。

兵在精，不在多，三萬姑蘇子弟，已足夠蕩平天下。

爲什麼吳國的主力是「海軍陸戰隊」，而不像中原諸國一樣使用「裝甲車部隊」？江南之地，水行而山處，其民以船爲車，以楫爲馬，習於水鬥，往若飄風，去則難從，所以吳國水軍天下聞名。但是要和楚國甚至中原諸侯打仗，光用水軍可不行，最終的攻城掠地還是得靠陸軍來完成。

孫武和伍子胥分析了當時的軍事形勢，決定建立一支特殊的海軍陸戰隊。

他們根據中原的車戰戰法，結合水戰特點，制定了一套完整的海軍陸戰隊編制，主要由大翼、小翼、突冒、樓船、橋船等組成。

大翼相當於戰車部隊中的重車，主要負責運輸和防禦；小翼相當於輕車，主要負責進攻和追擊；突冒相當於衝車，主要負責突擊和偵察；樓船相當於樓車，是一種有疊層的大船，十分高大，是負責指揮的旗艦；橋船則相當於輕足驃騎，主要負責掩護大部隊作戰。

千萬不要低估了春秋時代先民的智慧和技術水平，以為吳國的這支「海軍陸戰隊」用的只是些小竹排什麼的。

春秋時期吳國的造船業已經十分發達了，當時大大小小的船場遍佈太湖沿岸，建造大船的船場稱為「船宮」，建造中小船隻的則被稱為「石塘」，分工之細，技術之高，令人歎為觀止。

從各方面的記載來看，吳國這支「海軍陸戰隊」的戰艦規模十分驚人。《越絕書》佚文記載的伍子胥「水戰兵法」說：「大翼一艘，廣丈六尺，長十二丈，容戰士二十六人，擢五十人，舳艫三人，操長鉤矛斧者四吏，僕射長各一人，凡九十一人，當用長鉤矛長斧各四，弩各三十四矢，三千三百甲兜鍪各三十二。」以今日尺寸來計算，大翼長約二十餘米，船上有士兵近百人，且有齊整的裝備，能攻能守，簡直就是一座堅固的水上堡壘。

大翼已如此，樓船的規模可想而知。

如果吳國的這支「海軍陸戰隊」只是把船造得大一些、快一些，那就也沒啥稀奇的。它之所以能打遍中原無敵手，還有另外一個可怕的地方——士兵不但善於水戰，而且精於陸戰！

三萬姑蘇子弟，在船上是橫行水面的霸主，下了船就是可怕的陸戰機器。在川澤密佈的江南地區，短劍輕甲的機動步兵才是陸戰的王道，他們行動靈活、奔跑如飛，這些優點都是笨拙且機動性差的戰車所無法比擬的。

楚國這麼多年來都在和山西的晉國爭霸，一直致力於發展戰車部隊，忽略了水師和步兵建設。戰車的強大衝擊力在廣闊的平原上確實十分有效，可到了水網丘陵地帶就不那麼靈光了。

來去如風的「海軍陸戰隊」正是它的剋星。

孫武不愧為中國兵家第一人，不但使「兵不厭詐」的軍事思想替代了從前「不擒二毛」、「退避三舍」等講求仁義的戰爭形式，而且使步兵成為戰爭的主角。不合時宜的戰車部隊，就此逐漸地退出歷史舞台。

第 5 章

謀楚

楚軍還沒來得及吃飯就匆匆地投入戰鬥，好死不死遇上一群不怕死的瘋子，很快亂了陣腳。夫概則像一個頂尖的籃球後衛，光速突破籃下，直接在內線扣籃得分。

1 湛盧入楚

楚昭王被吳國人弄得精神衰弱，一日起床，卻發現床頭多了一柄寒光四射的寶劍，心裡發毛，忙召相劍大師風胡子入宮。風胡子接過寶劍，臉色頓時大變……

基礎軍事建設已初見成效，現在伐楚工作組的首要任務就是打個小仗，一來可以試一試這支「海軍陸戰隊」的身手，二來也可以試探一下對手的實力，以便決定下一步的戰略方針。

工作組第一副組長伍子胥找到高級顧問孫武，問：「孫顧問，你看咱們應該先從哪兒開刀呢？」

孫顧問搖頭晃腦地說：「大凡行兵之法，先除內患，然後方可外征。我聽說吳王僚的兩個弟弟一個躲在鍾吾，一個躲在徐國，成天想著爲他們的倒楣哥哥報仇，不可不防。咱們不如乾脆先一舉幹掉他們，以絕後患。」

伍子胥拍手道：「好哇！咱哥倆想到一塊去了！徐君和鍾吾子都是楚王的小弟，這些年沒少和吳國作對，正好可以趁此機會一同除去，翦滅楚王的這兩個爪牙。」

說幹就幹，吳王闔閭立馬發了兩道外交照會，要徐君和鍾吾子把這兩個吳國叛臣引渡回來治罪。

徐君和鍾吾子當然不肯，偷偷將他們送到了自己的靠山楚國那裡去尋求保護。

楚昭王大喜：「吳國的敵人就是我們的朋友，你們就跟著本王混吧！本王可以保護你們！」

就這樣，楚王不顧群臣的反對，把兩個公子安置在養邑（今河南沈丘縣附近），替他們修築城池，用來對付吳人。

既然楚國率先引燃了導火線，吳王闔閭當然不會放過大好機會。他立即命令孫武帶著他的「海軍陸戰隊」，砍瓜切菜般攻破鍾吾、水淹徐國（注意！這是中國歷史以水攻城的最早記錄），鍾吾子被擒，徐君逃奔楚國。楚兵救徐不及，加修了夷城（即城父）給徐君居住。

徐國可是楚國在江淮之地最強大的一個屬國，早年間還曾和周王室叫過板，實力不可小覷，可見吳軍的強大。吳國幹掉徐國，等於去掉了攔在自己和楚國之間的最大的一個障礙，軍事意義十分重大。

滅掉鍾吾和徐國後，孫武並沒有躺在成績單上睡大覺，他的軍隊也不停歇，乘機繼續擴大戰果，一路勢如破竹，攻破養邑，殺掩余、燭庸二公子於楚國境內。一時間，天下為之震動。這個孫武是從哪裡冒出來的？這麼厲害，怎從來沒聽說過呢？

吳王闔閭萬萬沒有想到勝利來得如此之快，頓時雄心萬丈，想乘勝一口氣攻入郢都，迅速解決戰鬥。

孫武卻反對說：「戰鬥很艱苦，軍隊應該先休整一下，現在還不是大決戰的時候，大王還是再等等吧！」

伍子胥也說：「楚國雖敗，但瘦死的駱駝比馬大，綜合國力還是比咱們要強很多。想一舉滅掉它，恐怕沒那麼容易。」

闔閭鬱悶地說：「那我們應該怎麼辦？楚國的國力又不會自己減弱。」

伍子胥笑道：「那我們就幫它減弱好了。」

「我都快急死了，你們這些謀臣，就喜歡說話繞彎子。這又不是拍連續劇，還玩兒什麼懸念？快點講！」

「嘿嘿！想以弱勝強，最好的辦法，就是用持久戰和游擊戰，慢慢拖垮敵人，一點一點消耗他們的國力。此消彼長，等到我們的國力超過了楚國，就是它徹底滅亡的時候。」

「持久戰？游擊戰？這都是些個什麼東東？寡人聞所未聞。」

「這也不是什麼新招了，從前晉悼公跟楚國爭霸，也是用的這個方法。具體來講，就是把我們的軍隊分爲三師，輪番侵擾楚邊，聲東擊西，以疲乏楚人的兵力。」

孫武在旁大笑道：「妙哉！如此我出一師，彼必皆出，彼出則我歸。讓他們疲於奔命，耗乾國力，最後再以大軍合力進攻，給予致命一擊。伍先生此計，正可發揮我『海軍陸戰隊』機動迅速的特點。高！實在是高啊！」

至此，吳軍伐楚的總體戰略方針全部成形，接下來就是具體實施了。

吳王闔閭採納孫武和伍子胥的高招，三分其軍，輪番襲擾楚境。吳王闔閭四年（西元前五一一年）又伐楚，攻下六邑與灊邑，楚兵一來，吳兵即回。闔閭六年（西元前五〇九年），又命舒鳩（今安徽舒城縣）人引誘楚兵出來伐，設下計策，僞出舟師於豫章作抵抗狀態，暗裡卻偷到巢邑（今安徽瓦埠湖南），襲破其城，並俘獲守將楚公子繁，楚在大別山以東的城邑及屬國悉爲吳有。

至此，楚國失去了與吳軍對峙的緩衝地帶，又因連年被襲擾，疲於奔命，導致諸侯離心，盜賊蜂起，內外動盪，百姓苦不堪言。

卻說楚昭王被吳國人弄得精神衰弱，睡覺都不安生。一日起床，卻發現床頭多了一柄寒光四射的寶劍，心裡有點發毛，忙召相劍大師風胡子入宮詢問究竟。

風胡子接過寶劍，一看，臉色頓時大變。

我們都知道青銅劍是青色的，可是這把青銅寶劍竟然通體墨色，湛黑的刃口在陽光的照射下反射出陰冷的光，散發出令人窒息的死亡氣息。

風胡子問：「大王是怎麼得到這把寶劍的？」

「寡人也莫名其妙呢！今天早上我一醒來，就在床邊發現了這把寶劍。聽說你相劍本事一流，可認識此劍？」

「當然認識，此劍名為湛盧……」不知道是因為興奮，還是因為恐懼，風胡子說著說著，不可遏止地打起擺子來。

昭王似乎沒有發現大師的異樣，又問：「哦！既然認識，那你可知此劍的來歷？」

「數十年前，越國鑄劍大師歐冶子在湛盧山（位於今福建北部松溪縣）為越王允常鑄了五把名劍。越王將其中的三把獻給了吳國，一把叫『魚腸』，也就是吳王闔閭刺殺王僚的那把不祥之劍。一把叫『盤郢』，又名『勝邪』，雖屬名劍，但是色彩不勻，搭配不當，所以算不上寶劍，對活著的人無益，闔閭於是用它為自己的女兒陪葬。最後一把叫『湛盧』，乃五劍之首，歐冶子畢生巔峰之作，也就是大王手上的這件寶物了。」

「原來此劍有如此驚人的來歷，但它怎麼會離開吳國，出現在寡人的宮裡呢？」

風胡子心裡很清楚，吳劍入楚，此乃大凶之兆，預示著吳國的軍隊將要攻入郢都，楚國就要亡了。

可是他也明白，自己千萬不能這麼說，否則小命堪憂，於是編了個瞎話忽悠昭王說：「恭喜大王！臣聽說此劍乃五金之英，太陽之精，寄氣托靈，出之有神，服之有威，可以折衝拒敵。但是如果擁有它的君主做了傷天害理的事情，湛盧劍就會立即出鞘，離開這個無道之君，皈依有道之君。吳王闔閭弒君自立，又坑殺萬人以葬其女，眞乃無道之極，湛盧劍因而棄暗投明，來到楚國。這說明大王眞乃有道之君，英明神武，壽與天齊，克敵制勝，澤被蒼生，千秋萬代……」

昭王聽了這番奉承，十分受用，賞下一大筆錢，從此對湛盧劍愛不釋手，隨身佩戴，當成至寶，宣示國人，以爲天瑞。

因爲風胡子這段精采的馬屁，湛盧劍被冠上了「正義之劍」的美名，說它明辨善惡，能捨邪近正，擇主而從，不與惡勢力同流合污，擁有儒家正直士大夫的高風亮節。可實際上這把劍黑不溜秋，滿身邪氣，實乃天下間第一不祥之物也。它的擁有者吳王闔閭和楚昭王後來都沒得到好下場。

千年後，湛盧劍輾轉依次流傳到西晉名將周處和宋朝抗金英雄岳飛的手裡，周處遭小人暗害，岳飛之死更是千古奇冤。看吧！就連大英雄周處和岳飛也沒好結局，此劍的確不祥。

2 攻楚聯合戰線

蔡侯將一塊白璧投入滔滔的漢水之中，立誓說：「寡人若不能伐楚而再南渡者，有如此璧！」但自己的實力根本不是對手，於是派人去中原盟主晉國那裡訴苦。

消息傳出，吳王闔閭得知自己的愛劍跑到了楚昭王的手裡，大怒：「這一定是楚王小賊收買我的侍從，偷跑了寡人的寶劍，氣死我了！」

闔閭很生氣，不由分說殺死了身邊十幾個侍從，命孫武、伍子胥、伯嚭等人率軍攻打楚國，又派人通知越王跟他一起出兵。但是，越王允常不肯配合，闔閭大怒，不顧孫武的勸告，執意拉開兩條戰線，又跑去攻打越國，敗越兵於檇里（今浙江嘉興），大掠而還。

闔閭這麼做也是無奈，越在吳東南，與姑蘇隔江（錢塘江）相望，不先搞定了，伐楚行動必有後顧之憂。

就這樣，吳國和越國算是結下仇了（其實在此之前，就已經結下仇了，大家還記得嗎？早年間吳王余祭便是被越國的俘虜所殺），後來兩國數十年殺戮，糾纏不休，仇恨越結越深，冤冤相報，死傷無數。

當然，這又是後話。

吳國每年揍楚國幾次，打得楚國哭爹叫娘，苦不堪言。

闔閭和伍子胥明白，給楚國最後一擊的時間就要到了，現在他們最缺的，是一個絕好的時機，一根最完美的導火線。

絕好的時機，很快便出現了。

原來，楚昭王得了湛盧劍，得意至極，便通知各屬國前來祝賀，趁機收禮。唐成公和蔡昭侯身爲楚國的忠實小弟，當然不能落於人後，乖乖帶了一大堆寶貝前來拍馬屁。

蔡昭侯是個土財主，比較有錢，帶來了一雙羊脂白玉佩，兩副銀貂鼠裘，並各將其中一件獻給了楚昭王，自己則留著另一套。

楚令尹囊瓦看著很眼紅，他也想要這麼一件貂皮大衣，穿在身上多拉風啊！你蔡侯朝賀完了就要回去，留著那衣服有啥用？不如給了我，讓我和大王同穿情侶裝，一對璧人，笑傲朝堂，豈不是千古佳話？

囊瓦找到蔡侯，直接說：「你那衣服和玉佩正好都是一對，幹嘛光給大王，不給我？厚此薄彼，不好吧！」

蔡侯不捨得給，也不願給，心想：楚王才是我的老大，你算個什麼東西？給你？哼！別糟蹋了我的寶貝！囊瓦自討了個沒趣，十分鬱悶，又接著去找唐成公索賄，希望這個傢伙會稍微識相一些。

原來唐成公也有寶貝，乃是兩匹寶馬，名爲「肅霜」。他帶著這兩匹高頭大馬在楚國大街上往來馳騁，當眞是威風凜凜，帥氣逼人。「肅霜」其實是一種大雁的名字，其羽如練之白，高首而長頸，馬之形色似之，故以爲名。

貪財鬼囊瓦看著這兩匹比大雁還漂亮的寶馬，眼睛又紅了。找到唐侯，他說：「你的馬又快又穩，天下少有，一定是國外進口的吧……」

「你想要嗎？」

「是啊！」

「我偏不給你！」

「什麼？」囊瓦氣壞了，這兩個小氣鬼，如此不給我面子。等著！我一定要讓你們好看！

他氣呼呼地離開國賓館，找到楚昭王，說：「大王，你知道嗎？其實唐侯和蔡侯都不是好東西，他們暗地裡私通吳國，想對我國不利呢！」

昭王大驚，連忙派人將蔡昭侯和唐成公這兩個倒楣鬼軟禁起來，不放他們回去，一扣就是三年。

這眞是「閻王好與，小鬼難纏」。

囊瓦雖然殺掉了費無忌，卻得到費老師的眞傳，而且貪得無厭的程度更勝。唐侯和蔡侯惹誰不行，偏偏要惹這個貪財鬼。這不，吃大虧了吧！楚國的小人眞是前仆後繼，還代代相傳。

唐成公被扣在楚國回不來，唐國人可煎熬了。國不可一日無君，何況是三年喲！他們商議了半天，決定勸唐侯服軟，把寶貝馬交了算了。可是唐成公此人是個硬骨頭加木魚腦袋，怎麼都不肯，還說：「此馬稀世之寶，寡人惜之，且不肯獻於楚王，何況令尹乎？別再勸了，寡人寧死也不交馬。哼！大不了就在楚國安家落戶了，要我向囊瓦那個小人低頭，門兒都沒有！」

唐國人一看沒轍，無奈之下只好灌醉了唐侯的馬夫，將二馬偷了出來，獻於囊瓦，說：「我們主公聽說令尹您德高望重，是個大好人，所以命我等獻上良馬，以備驅馳之用。小小意思，不成敬意！」

囊瓦大喜，笑納了覬覦已久的寶貝，隨後找到楚昭王說：「查清楚了，原來唐侯是個好人來的，大王放了他吧！」

楚昭王納悶了，說抓也是你，說放也是你，到底在搞什麼鬼啊？

納悶歸納悶，昭王最終還是把唐成公給放了。由此來看，此時楚國的大權顯然把持在令尹囊瓦的手裡。

其實令尹制度一直都是楚國的一個大問題。令尹的權力太大，有時甚至嚴重地威脅到王權，爲此，楚王和令尹的政治鬥爭在楚國歷史上屢見不鮮。一代霸主楚莊王就曾經除掉過陰謀造反的令尹斗越椒，楚靈王則是在令尹的位子上殺掉自己的侄子郟敖（沒有諡號的楚國國君稱「敖」）而當上王的。

蔡侯聽說唐侯服軟了，知道再強撐著也沒用，只好交出玉佩和皮裘，總算是把自己也給贖了出來。可是他心裡不服氣啊！怎麼說也是一國領導人，居然遭受如此奇恥大辱，此仇不報，誓不爲人！

出了郢都後，他越想越不是滋味，將一塊白璧投入滔滔的漢水之中，立誓說：「寡人若不能伐楚而再南渡者，有如此璧！」

但蔡侯也明白，自己的實力根本不是楚國的對手，於是派人去中原盟主晉國那裡訴苦，並以寶貝兒子公子元作爲人質，請求晉老大幫忙一起對付楚國。晉國的君主晉定公身爲國際員警，當然不能坐視不理，遂聯合十八國諸侯（吳國沒有去湊熱鬧）及周王室的欽差大臣劉文公畢集於召陵（今河南省漯河市），共同商討對付楚國。

作爲主盟人的晉軍，一把手是士鞅，二把手是荀寅。士鞅也還算是個沉穩持重的晉國老臣，偏偏這荀寅和囊瓦一樣是個貪財無德的小人，眞是天下烏鴉一般黑。他覺得自己幫蔡侯打抱不平，可不能白幹，便找到人家說：「吾等千里興師，那可都是爲了你呀！你看，是不是也得意思意思？」

「意思意思？大人你是什麼意思，我怎麼不懂？」

「哎呀！就是意思意思嘛！我說得如此有意思，你怎麼會不明白是什麼意思？」

「哦！我明白是什麼意思了，可是對不起，我不能意思意思。從前楚國令尹就是要我意思意思，我沒有意思意思，所以才讓你們幫我不要意思意思。現在你也要我意思意思，這就太沒有意思了。」

荀寅一聽，氣壞了。恰好這時候天降暴雨，數日不停，很多士兵都患上瘧疾，他接著找到士鞅，說：「現在天氣不好，不是打仗的時候，再說北邊還有一個鮮虞（白狄的一支，即戰國時代中山國的前身）成日裡跟我們作對，況且楚國也不是那麼好對付的。咱們還是回去吧！爲了一個蔡侯冒險，不值得。」

士鞅一聽，也是這麼個理兒，於是託言天雨不利，難以進兵，單方面退兵。各路諸侯見老大都走了，自己再待在召陵也沒啥意思，便一個個如鳥獸散，各回各家，蔡侯攔都攔不住。

會盟，本來應該是諸侯間最爲重要也最爲嚴肅的外交活動。會盟之前，召集人必須先選定時間和地點，並詳細通知有關國家。諸侯們到達地點後，要在會盟中鑿地爲坎，挖成洞穴，然後把牛、羊、馬等牲品的左耳割下來，放在盤裡盛好，再將牲血用敦盛起來。會盟的時候，先要宣讀盟約以禱告神靈，然後由參加者逐一歃血，把盟約的正本放在供奉的牲品上面，一起埋入坎中。盟約的副本，則由諸侯們帶回本國。

這般莊嚴神聖的外交活動，竟然什麼也沒談成，就如一場鬧劇般搞笑收場。

此時此刻，召陵寂寥，人去樓空，梧桐夜雨，寒蟬淒切，活動發起人蔡侯的鬱悶、尷尬、失望可想而知：楚國人欺負我，晉國人欺騙我，各路諸侯又都拋棄了我，我的命可眞苦啊！

事已至此，蔡侯只好帶著滿腔的悲憤往回走，路經沈國（今河南平輿縣），想起沈子嘉沒有依約參加召陵的盟會，便把火全撒在沈國的頭上，二話不說直接攻了過去。可憐的沈國，就這麼做了蔡侯的出氣筒，國破君死。

從此，世界上又少了一個小國家。

不過，這下子可捅了馬蜂窩了。沈國一向是楚國最忠實的小弟，要什麼就給什麼，可不像唐國和蔡國那麼不識相。囊瓦一聽說這棵搖錢樹居然被蔡侯連根給拔了，大怒，立刻興師伐蔡，將蔡城團團圍住，日夜攻打不停。

蔡侯這下子慌了，打吧！自己肯定打不過人家。投降吧！囊瓦肯定不會放過自己。怎麼辦呢？

在這個危急時刻，蔡國的老臣公孫歸姓發言了：「晉國現在是靠不住了，依臣看，咱們不如聯合唐國一起投靠吳國。吳楚世仇，正和咱們是一條繩上的螞蚱，再說普天之下，也只有吳國敢和楚國面對面地幹了。」

蔡侯抱著腦袋想了一會兒，覺得如今之計，只能這麼辦了，急忙派公孫歸姓約會唐侯，共投吳國借兵。爲了示誠意表決心，蔡侯還派出了自己的另一個寶貝兒子公子乾去作人質。

伍子胥聞訊大喜。哈哈！楚國的末日終於到啦！父親，哥哥，我終於可以爲你們報仇了。

「大王，您不是一直問說，什麼時候可以攻入郢都嗎？現在時候到了！」伍子胥對闔閭說。

「哦！此話怎講？」

「唐蔡兩國現在願意幫助我們一起攻打楚國，這還不是大好機會？」

「嗯，有道理。孫卿家，你怎麼看？」

孫武笑：「楚所以難攻者，就是因爲屬國衆多，咱們很難一路攻到他的老家去。而今楚令尹囊瓦貪財無德，唐國和蔡國等屬國都怨恨他。諸侯離心，楚勢孤矣。此時不滅，更待何時？」

英雄所見略同。唐、蔡兩國雖是蕞爾小國，但位居楚國的北部側背，戰略地位相當重要。蔡國在今河南新蔡，唐國在今河南省南陽市唐河縣。吳國通過和它們結盟，正可以實施「避開楚國正面，進行戰略迂迴，大舉突襲，直搗腹心」的作戰計劃。所以孫武和伍子胥都認爲，這回眞的是天賜良機，若是放棄，以後肯定要後悔死。

闔閭大悅，遂御駕親征，率三萬「海軍陸戰隊」，從水路繞過楚國在江淮一帶的重兵，迂迴到河南的蔡國，與唐蔡聯軍會合。

囊瓦見吳兵勢大，解圍而走，又因恐吳兵襲擊，直渡漢水，方才屯紮，連發電報至郢都告急。

3 千里突襲

吳國的「海軍陸戰隊」進行了「諾曼地登陸」行動，迅速通過大隧、冥阨、直轅三關險隘。楚國根本沒有想到吳軍會走這條路，險要無比的關隘全變成了擺設。

至此，吳、蔡、唐三國攻楚統一戰線正式達成，聯軍厲兵秣馬，浩浩蕩蕩，溯淮水繼續西進。進抵淮汭（今河南潢川，一說今安徽鳳台）後，孫武卻突然決定捨舟登陸，並由向西改爲向南。

這麼一搞，自以爲軍事專家的伍子胥都搞不清孫武的戰略意圖了，問：「咱們吳軍水戰天下第一，應該繼續西進至漢水，然後沿漢水南下，直搗郢都才對，爲啥要捨舟登陸，與楚軍在陸地上較量呢？這不是以己之短，攻敵之長嗎？」

爲了把即將上演的這場戰爭解釋得更清楚，有必要先把楚國的地理形勢講一下。

楚國在長江以北的國境內，共有兩條大河，一條是淮水，一條是漢水。淮水為東西走向，在北部邊境；漢水是南北走向，向南注入長江，將楚國的領土劈為左右兩半。楚國都城郢都就在淮水的南岸，漢水的東岸。

吳軍的本來計劃，應該是沿淮水西進至淮漢交匯處，然後改沿漢水向南直搗郢都，這是所有正常的軍事家都會選擇的路線。楚國人也是這麼判斷的，所以他們在淮水漢水交接處布下了重兵，準備和吳軍決一死戰。

可是，孫武是什麼人？那可是個軍事鬼才啊！當全天下人都認為吳軍會走水路的時候，他卻偏偏選擇陸路。

對此，他跟伍子胥是這麼解釋的：「兵貴神速，楚國地大兵多，久戰對我方不利。如果西行逆流走水路，速度必然放慢，從而拖延戰機，給楚軍喘息的機會，到時候楚軍有了防備，我軍必會陷入到苦戰，進退不得。所以必須速戰速決，出其不意，攻其不備，從陸路往南直插其縱深，打他個措手不及。」

「高！實在是高！孫大哥你用兵如神，小弟服了！」伍子胥拜服。

就這樣，吳國的「海軍陸戰隊」進行了「諾曼地登陸」行動，在淮汭捨舟上岸，並以三千五百名跑得最快的精銳士卒為「海豹突擊隊」，身穿輕甲，手執短劍，迅速通過楚國北部大隧、冥阨、直轅三關險隘（今河南信陽）。由於楚國根本沒有想到吳軍會走這條路，三個險要無比的關隘全變成了擺設，任由他們如入無人之境般衝進來。

孫武的戰略奏效了，這支「迅速反應部隊」速度真是快得驚人，等到楚軍回過神來，他們已經南行越過大別山，再從豫章折向西，直抵漢水東岸，離郢都不過百里了。

不愧爲世界上數一數二的軍事天才，孫武竟然早在兩千年前的春秋時代就掌握了在二戰時期曾大出鋒頭的「大縱深作戰理論」，以快速反應部隊迅速壓至敵方的防禦縱深處，透過正確選定方向突破戰術地幅。一旦在敵人的防禦中撕開一個突破口，負責擴張戰果的梯隊就迅速進入，將戰術勝利發展爲戰役勝利。孫武的這三千五百名精銳前鋒，不正是「大縱深作戰理論」的快速反應突擊隊嗎？跟在後面的兩萬六千五百名吳軍，也不正是這個理論中負責擴張戰果的後續梯隊嗎？

天才！眞是一個天才！楚國一百多年內竟碰上兩個軍事天才，一個是晉國的先軫，另一個是吳國的孫武，也是命苦。

眼見吳軍像幽靈一般突然出現在漢水東岸，楚昭王這才慌了手腳，急派令尹囊瓦和左司馬沈尹戍傾全國二十萬兵力，趕至漢水西岸，自小別山至大別山一帶擺下陣勢，與之對峙。

遙望對岸，伍子胥忍不住潸然淚下。十六年了，自己離開楚國已經十六年了！十六年來，含冤受屈，忍辱偷生，以滿頭白髮和十幾年的青春歲月爲代價，爲的就是這一刻。

君子報仇，十六年不晚。自己等了這麼多年，終於等到這一天。這一戰，無論如何都不能輸！

此時此刻，漢水兩岸烏雲密佈，一場糾結了無數仇恨與決定吳楚兩國命運的生死之戰，一場春秋時期規模最大的陣地戰，終於要開始了。

廝殺來臨之前，請各位看客喝上一杯香茶，讓我先來介紹一下雙方的主要陣容：

•楚方

統帥：令尹囊瓦

副帥：左司馬沈尹戌

隨軍將領：武城黑

先鋒：史皇

後軍：薳射

總兵力：近二十萬

•吳方

統帥：吳王闔閭

副帥：伍子胥、伯嚭

參謀長：孫武

隨軍將領：專毅（專諸之子）

先鋒：夫概（闔閭胞弟）

督糧官：公子山（闔閭次子）

後軍：蔡侯、唐侯

總兵力：吳軍三萬，蔡唐聯軍約三萬，總計六萬，號稱十萬。

總的看來，楚軍兵力占明顯優勢，共有二十萬之多，而且都是主力。吳軍只有六萬，還有三萬是蔡唐的烏合之衆。不過，還是那句話，兵在精，不在多。吳國三萬「海軍陸戰隊」乃是精銳中的精銳，再加上參謀長孫武乃是天下第一的軍事奇才，副帥伍子胥又是可怕的戰神「白髮魔男」，鹿死誰手還難說得很呢！

4 致命的失誤

囊瓦一聽，心思開始活動：我身為執政，怎麼能被下屬搶了鋒頭？在虛榮心與自信心高度膨脹的刺激下，他做了一生中最錯誤的一個決定：命令楚軍發起總攻。

吳軍方面決策層的能力，大家都很熟悉了。至於楚軍方面的幾個頭頭，除了囊瓦是個只會要錢的草包外，武城黑和史皇兩個也都是正宗活寶，裡面也就副帥沈尹戌有點能力，這幾年來楚國對吳少數的幾場勝利，都是他的傑作。

對於目前的戰局，沈尹戌對囊瓦提出了自己的看法：吳軍雖然進兵神速，但有一個致命的弱點，就是戰線太過深入，給養難繼，萬一後路被截，有全軍覆沒的危險。所以他建議，由囊瓦率楚軍主力沿漢水西岸正面設防，牽制吳軍不得西渡。他本人則率部分兵力北上息邑方城（今河南方城），召集那裡的楚軍（息邑是楚國北部軍事重鎮，布有重兵），迂迴到吳軍的側背，用火焚毀其留在淮汭的戰船，再用木石阻塞北方的大隧、直轅、冥阨三關，從而切斷吳軍的歸路和給養線，變成孤立無援的死軍。接下來，便可與囊瓦主力實施前後夾擊，一舉殲滅。

標準的關門放狗，沈尹戍這一招可眞是夠毒的。我很想知道，如果他眞的得手，孫武這個軍事天才將會如何應對？可惜囊瓦後來沒有完全聽話，否則將遇良才，這一戰必會更加精采。

囊瓦大喜：「高！實在是高！司馬此計大妙。嘿嘿！我看這次，吳國君臣全都別想活著回去啦！」

就這樣，沈尹戍帶著自己的部隊，按原定計劃北上，可是沒等他走遠，囊瓦老夫子卻變卦了。

爲什麼呢？

要怪武城黑和史皇這兩個活寶出的餿主意。

武城黑說：「不對勁啊！司馬叫我們等，可是我軍用的都是皮革蒙的戰車，現在天降大雨，時間一長，可不都泡壞了？吳軍不過三萬，小菜一碟，何須如此大費周章？我看不如速戰速決，衝過去先幹它一票再說！」

如果說活寶一號武城黑只是自信過頭，活寶二號史皇就完全是個搬弄是非的小人了，他說：「小黑說得沒錯，而且令尹大人，您別忘了，司馬在楚國的粉絲可比您多，如果眞被他成功毀掉了吳國的船隻，堵塞了關口，破吳的功勞就是他一個人的了。如此一來，您不但啥也沒撈著，還會被人說閒話，說您雖然打贏了，卻是靠老沈的計謀，令尹的權位肯定不保。」

囊瓦一聽，心思便開始活動了：沒錯啊！我身爲楚國執政，怎麼能被下屬搶了鋒頭呢？這叫我以後還怎麼在楚國混哪！我能把頭功和執政的位置讓給他老沈嗎？不！當然不能！

在虛榮心與自信心高度膨脹的刺激下，囊瓦做了他一生中最錯誤的一個決定：命令楚軍主力全部渡過漢水，沿大別山、小別山一帶向吳軍發起總攻，要趕在沈尹戌完成迂迴包抄行動前，一口吃掉吳軍，獨自享受成功後的鮮花與掌聲。

囊瓦想得太美了，等待在漢水對岸的，不是什麼鮮花和掌聲，而是孫武送給他的一頓棍棒大餐。

孫武的計策很簡單，你囊瓦不是急於求勝嗎？那我就往後撤，退至大別山和小別山的群山峻嶺之中，利用丘陵、山地的有利地形，發揮吳軍步兵多、機動靈活的特點，抑制楚軍兵車多、利於平原作戰的特長，在運動戰中逐漸消耗楚軍的兵力和士氣，然後尋找機會，一舉擊敗。

囊瓦這個草包見吳軍後撤，大喜過望，還以爲吳國人怕了自己，遂命令三軍全面出擊，在後直追。

孫武見楚軍已然中計，遂命先鋒夫概率領他的秘密武器「木棒軍」，給人家一點厲害看看。

「木棒軍」，名字不雅，卻是吳軍中的王牌主力。這些人都是孫武從三萬姑蘇子弟中精心挑選出來的三百名大力士，天生神力，在高強度的訓練下練成了身披重甲還能揮動五米長、碗口粗木棒的能力，殺傷力極爲驚人。

三百名大力士是百裡挑一，他們的頭頭夫概更是萬夫莫當的猛將，論運籌帷幄，決勝於千里之外，或許比不上孫武，但是論武功，論衝鋒陷陣，他夫概說第二，吳國沒有人敢說第一，就算是白髮魔男伍子胥，恐怕也要低頭認輸，自愧不如。

他帶著「斯巴達三百勇士」衝進史皇的先頭部隊之中，一遇楚兵就沒頭沒腦地打將過去。楚國的戰車兵雖然裝備精良，素質一流，可哪裡見過如此陣勢？被亂打一陣，大敗而走。

囊瓦雖然敗了頭陣，但仍自信滿滿。史皇的先頭部隊並不是楚軍主力，局部的失利不能說明任何問題。吳軍才三萬人，就算加上唐蔡的一群垃圾，滿打滿算不過六萬，而自己的兵力數倍於敵人，全線壓上硬碰硬，沒有道理會輸。所以，現在要做的，就是尋找吳軍主力，畢全功於一役。幹掉它的指揮系統，那就一切OK嘍！

他錯了，錯在沒有意識到吳軍的強大與闔閭的必勝決心。他滿以爲這次吳軍還是和以前一樣打完了就跑，玩游擊戰，沒撈著什麼便宜就會退回吳國去。他覺得，只要給對方一點厲害看看，把他們打跑，就可以像平常一樣舒舒服服回家睡覺了，大王還會賞賜幾千兩黃金、幾座府第、幾個美女……他滿腦子只想快快地找到敵人，解決他們，忽視了吳軍的眞正意圖。

別傻了！闔閭和伍子胥是拚了老命來的，不打到郢都，絕對不會回去。

接下來，囊瓦的大軍又和吳軍在大別山至小別山之間打了兩仗，都沒有占著什麼便宜，還損失了幾千兵馬。

囊瓦有些洩氣，拉著自己的小兄弟史皇，鬱悶地說：「吳軍狡猾得很，不好對付啊！我看咱們不如棄寨逃歸，召集齊弟兄再來接著打。」

史皇雖是個活寶，卻也算是一條漢子，對這種膽小行爲很是不屑，說：「國家太平時，你爭著執政，現在作戰不利，你就想逃跑。萬一吳軍乘勢攻入國都，逃到哪裡去都是一個死。我們現在不過是偶爾的失利，並不能說明什麼問題，沒了幾千兵馬，咱們的人還是一樣比吳國人多。如今，你只有與吳軍拚死一戰，才可以洗脫之前的罪過。」

其實，史皇也錯了。楚軍的戰鬥減員雖然不大，但這些天來一場勝仗都沒打過，士氣已低落到了極點。士兵們開始懷疑，這個貌似信心滿滿卻無能至極的老大，到底能不能帶來一場勝利？

對於戰爭，士氣的損傷往往比士兵的減員還要可怕，可惜，徒有勇氣的史皇不懂得這一點，大草包囊瓦自然更不明白。聽了史皇的一番話，他可笑的自信心又莫名其妙地膨脹起來：沒錯，我囊瓦坐擁二十萬賭本，現在只不過輸了幾千塊錢，怎麼能洩氣不玩兒了呢？有賭不算輸，不行！我要接著賭，我要翻本，把輸掉的錢全部贏回來！

正在草包囊瓦低頭意淫不止的時候，傳來兩個好消息，讓他一下子歡跳起來。

一、楚昭王得知戰事不利，又給他派了一萬援兵來。雖然主帥是一向跟他不和的薳射，但賭本增加了不少，不能不說是一件大好事。

二、吳軍主力突然停止了後撤，在柏舉（今湖北麻城）擺下了陣勢，似乎要跟楚軍梭哈了。

太好了！老鼠終於不跑了，這眞是翻本的大好機會。兄弟們，磨好你們的尖爪利牙，準備大快朵頤吧！

5 吳楚決戰

楚軍還沒來得及吃飯就匆匆地投入戰鬥，好死不死遇上一群不怕死的瘋子，很快亂了陣腳。夫概則像一個頂尖的籃球後衛，光速突破籃下，直接在內線扣籃得分。

孫武爲什麼突然不再跟囊瓦玩貓抓老鼠的好戲了？因爲他知道，幾天下來，這隻蠢貓已經被自己完全給拖垮啦！現在不玩死牠，更待何時？就讓你們這些傻貓瞧瞧史前巨鼠的威力吧！

那是西元前五〇六年十一月十八日，一個寒冷的清晨。柏舉山區大霧瀰漫，吳楚兩軍面對面地擺開了陣勢，微曦的晨光中，飄揚的旌旗和閃亮的盔甲一眼望不到盡頭，幾十萬人分佈的戰場竟然一片寂然，只有偶爾幾聲馬嘶打破寧靜。肅殺的氣氛壓得所有人喘不過氣來，糾結了好久的貓鼠決鬥，終於要鳴鑼開戰了！

這時，吳國最兇猛的一隻老鼠夫概找到鼠王闔閭，說：「楚帥囊瓦貪而不仁，刻薄寡恩，部下都沒有爲他效死的決心，再加上連敗，士氣低落。我軍若先發制人，主動出擊，楚軍一定潰逃，屆時大王再以大軍追擊，必能大獲全勝。」

闔閭沉吟道：「不行！楚軍雖連敗，兵力畢竟數倍於我軍，而且今天大霧瀰漫，並非交戰的大好時機，你這樣做太冒險了。不如先採取守勢，站穩腳跟，改天再和他們拚命。」

夫概無奈，只好退下，但他左思右想，覺得不應放棄這個勝敵的良機，於是決定豁出去，將自己五千部將扯上，朝楚二十萬大軍直接攻過去。

區區五千兵就敢衝敵二十萬，不愧爲吳軍第一猛將！

和上次用的三百重甲木棒軍不同，這五千精兵都是一色的輕甲劍兵，他們所使用武器俱是吳王闔閭費盡心血打造的「扁諸」利劍，削金如泥，吹風斷髮，最適合短兵相接近身肉搏，簡直將步戰的精髓發揮到極致。

「兵熊熊一個，將熊熊一窩」，一支軍隊的戰鬥力往往取決於主帥的性格。囊瓦貪生怕死，帶出的兵自然都是些窩囊廢；夫概勇猛無敵，帶出的兵自然都悍不畏死，一個個似虎入羊群，左右衝殺，如入無人之境。

囊瓦萬萬沒有想到吳軍這麼快就發起衝鋒，再加上大霧滿天，一時間也不知道對方到底有多少兵馬，一下子慌了。

適逢清晨，很多楚軍還沒來得及吃飯就匆匆地投入戰鬥，好死不死又遇上一群不怕死的瘋子，很快就亂了陣腳，潰不成軍。

夫概就像一個頂尖的籃球後衛，一點兒假動作不做，光速突破籃下，直接在內線扣籃得分。

這眞是一場變態的戰爭，兵力的多寡起不了任何作用。面對夫概這個狂人驚濤駭浪般的攻擊，囊瓦的指揮系統轟然崩潰，他引以爲傲的「裝甲車」部隊，在柏舉這塊典型的丘陵地帶根本發揮不出優勢，甚至沒來得及衝鋒就被吳國的步兵團團圍住。手握長戈的楚車兵還沒弄清怎麼回事兒，就被莫名其妙地砍掉了腦袋，飛濺的鮮血飄揚在漫天的濃霧之中，柏舉的天空一片緋紅。

孫武默默地欣賞著夫概這個暴力美學大師導演的精采場面，表情卻出乎尋常的平靜。楚國完了！

深吸一口氣，他終於輕輕揮舞起手中的令旗，頓時，雷鳴般的鼓聲響起，三萬吳軍齊聲吶喊，對楚軍發起了最後的總攻。

吳軍主力全部壓上來，他們的臉龐清晰可見，每個人的眼神，就像三天沒吃飯的餓鬼盯上一頭烤豬。

二十萬楚軍變成了被獵人圍捕的野豬，爲了避免再變成「烤豬」，只能丟盔棄甲，亡命奔逃，留下堆積如山的屍體和漂浮在漫溢血海之中的武器輜重，稍稍延遲了吳軍衝鋒的腳步。

吳王闔閭霸業的祭台，從此又多出數萬楚軍將士的亡魂。

沒有人想到，一次無組織、無紀律的軍事行動竟然收得此等奇效。又有誰能想到，吳人如此不按牌理出牌，敢用五千兵去衝擊楚二十萬大軍？

囊瓦的輸，輸在膽小。夫概的膽子很大，大得讓人目瞪口呆。

彪悍的人生，從來不需要解釋。

6 追襲

飯方熟，挨千刀的吳軍又追了上來。薳射連歎命苦，餓著肚子接著跑。吳軍剛好也還沒來得及吃午飯，遂停下來享受了一頓楚軍留下的大餐，然後打著飽嗝再追。

聽著吳軍如山呼海嘯般的殺聲，囊瓦面如死灰，看了看身旁同樣面色慘白的史皇和武城黑，又看了看四周楚軍戰士恐懼而絕望的眼神，長歎一口氣，道：「看來我這二十萬賭本全都要賠光了，沒戲唱了，撤吧！」說完脫掉帥袍，灰溜溜地跳下戰車，混在潰敗的楚軍之中，慌忙逃竄。

跑了幾步，發現史皇他們沒有跟上來，他回頭叫道：「你們傻啊！還不快跑？」

史皇頓了頓足，一咬牙，叫道：「要跑你跑！我不走，他娘的！我跟他們拚了！」說完駕著戰車，瘋了一般朝吳軍衝去。

囊瓦搖了搖頭，心想：果然是個傻子，不管你了，逃命要緊。有你擋住吳軍，我逃得還更輕鬆些！

結果，史皇和武城黑帶著親兵力戰而死。

這兩個活寶儘管破壞了沈尹戌的大計，造成了這場戰爭的失敗，但沒有像囊瓦一樣貪生怕死，還算是兩條好漢。囊瓦則因此贏得了寶貴的時間，亡命鄭國，從此，楚國的死活與他再無半點關係。

唉！囊瓦這個小人，真是比費無忌還要不堪。費無忌人品不行，至少還有些小聰明。相比之下，囊瓦不但貪財、自私、沒主見，而且狹隘、無能、貪生怕死，人類的劣根性幾乎全給他占光了。

楚國用這麼一個誤國誤民的小人當令尹，別說二十萬楚軍，就算再多個幾倍，恐怕也難以逃脫敗亡的結局。

現在局勢反轉過來了，吳軍是貓，楚軍是老鼠，沒有了指揮系統的楚國潰軍如同逃荒的難民一般，紛紛朝清發河（溳水支流，在今湖北安陸縣）方向奔湧。好在這時後軍的薳射迎了上來，暫時控制住局面，收集船隻，準備渡江。

吳軍尾追而至，本欲上前奮擊，夫概這位猛將兄卻一反常態說：「困獸猶鬥，況人乎？若逼之太急，他們一定跟我們拚命。為了減少傷亡，我建議咱們暫且駐兵，讓一部分人先渡過去，如此一來，後面的羨慕前面的，他們就沒有鬥志啦！那時候咱們再上，就跟關門捉賊一樣容易。」

看來夫概並不完全是個勇夫，打起仗來粗中有細，頗有章法。

吳軍停兵不再追趕，就像好不容易抓到一隻老鼠的貓一樣，放在手中玩來弄去，就是不捨得吃掉。薳射見吳兵沒有追來，心裡還在暗喜：難道吳國人要學當年我們楚莊王打晉國一樣，一戰攻成後不趕盡殺絕，好來講和？想得眞美！

他連忙下令三軍五鼓飽食，一齊渡江。不料剛剛渡兵十分之三，夫概猛然一聲虎吼：「衝啊！把楚國人當餃子一鍋煮了！」

三萬吳軍吶喊著直撲渡口，還沒上船的楚軍嚇得魂飛魄散，爭先恐後地跳上船去，船夫們害怕吳軍追上來，沒等船滿就趕快划走，留下一大堆命苦的楚軍在岸上哭爹叫娘。吳軍乘亂於後掩殺，掠取旗鼓戈甲無數，數萬沒渡過河的楚軍再無半點鬥志，全部投降。

雖然取得空前的大勝利，吳軍卻不就此罷休。稍作休整後，闔閭又命軍士搜集船隻，渡過江去繼續追擊殘部，爭取更大規模的勝利。

現在，薳射唯一的想法就是逃！他帶著幾萬殘兵敗將，好不容易逃至雍澨（漢水支流，今湖北京山西南），總算甩開了吳軍一段距離。士兵們饑乏交加，再也跑不動了，只好停下來埋鍋做飯。

飯方熟，剛想吃，那些挨千刀的吳軍又追了上來。

薳射連歎命苦，只好帶著大家餓著肚子接著跑。吳軍剛好也還沒來得及吃午飯，遂停下來享受了一頓楚軍留給他們的大餐，然後打著飽嗝接著追。吃了人家的東西還要追殺人家，忒沒良心！

這下楚軍慘了，飯沒吃著，更加跑不快，結果沒兩下又被吳軍追到。楚兵自相踐踏，死者更多，最後連主將薳射的車也被亂軍給掀翻。夫概趕將上來，一戟下去，薳射成了個可憐的餓死鬼。

薳射的兒子薳延眼見老爸慘死，心中悲痛萬分，只好帶著楚軍奮力突圍。正在絕望之際，卻聽東北角喊聲大震：「不要慌，我們來救你啦！」

轉頭一看，原來沈尹戌的援兵到了。

老沈原先不是帶著一批楚軍，想繞到吳軍側背想跟囊瓦的主力前後夾擊的嗎？可還沒等成功，就聽說囊瓦打了敗仗，無奈之下揮軍回救，恰好趕上最後一場戲。

薳延這邊一聽說老沈到了，士氣大振，忙堅守陣地，以待援兵。

老沈也管不了那麼多了，帶著部下萬人，浩浩蕩蕩分三路殺了過來。夫概的前鋒部隊一路連勝，根本沒有遇到過什麼抵抗，這會兒碰到不要命的老沈，一時間反應不過來，大敗而走。

沈尹戍乘機大殺一陣，吳兵死傷千餘人。夫概碰了個硬釘子，灰頭土臉地跑回去跟闔閭大軍會合。

沈尹戍和薳延的部隊會師了。

薳延一見他老沈叔，幼小的心靈頓時崩潰，大哭道：「老沈叔，我爸他死了，該死的吳國人趕盡殺絕，飯都不讓我們吃……」

沈尹戍和薳射是多年的鐵哥們兒，一聽說他被吳國人殺了，頓時老淚縱橫，和薳延抱頭痛哭：「小延，吳軍勢大，你還是帶著部隊趕快跑吧！我掩護你們！」

「那怎麼行？我不能丟下你不管！」

「你爹為國捐軀，只留下你一條血脈，你沈叔我怎麼能再讓你去送死？這次就算是豁出我的一條命，也要保住楚國的最後一點力量。你們回去以後，千萬記住，一定要死死守住郢都。吳軍孤軍深入，不能久戰，只要撐上幾個月，或許還會有轉機。」

薳延跪倒在地，磕了兩個頭，灑淚而別。

送走薳延，沈尹戍的臉色變得無比平靜——拚吧！能幹掉多少吳軍就幹掉多少！多拚掉一個敵人，郢都就能多撐上一刻。

他環視了一下身邊的部下，高聲道：「今日一戰，凶多吉少，但就算戰死沙場，我也不能讓吳國人抓活的，更不能讓他們得到我的腦袋。誰能夠幫我？」

據《左傳》的側面描寫顯示，沈尹戌早先很有可能是吳國的臣子。爲什麼叛吳歸楚？歷史上找不到任何記載，但不難推想，其中一定隱藏了一段驚心動魄的故事。

軍帳內鴉雀無聲。這時，平時最不受待見的一個家臣吳句卑說話了：「下臣卑賤，司馬可否讓我擔當這個任務？」

沈尹戌大笑：「沒想到居然是你站出來。好哇！我的腦袋就託付給你了！」

很快，隨著孫武的一聲令下，吳軍主力又對楚軍陣地發動了總攻。

沈尹戌帶著他的一萬楚軍，奮力阻擊著數倍於他們的吳軍。他的任務就是在這裡拚死拖住吳軍，能拖多久就多久，贏得寶貴的時間，讓蘧延的楚軍主力撤回郢都。

這是吳軍攻楚以來打的第一場硬仗，也是孫武出道以來碰到的第一個強勁的對手，沈尹戌的頑強程度完全出乎他的意料。吳軍幾次大規模衝鋒，都在最後一刻被楚軍擊退，傷亡慘重。

幾個小時過去了，楚軍的陣地安穩如山。這會兒就連孫武也開始著急了，搞什麼？沈尹戌的這一萬楚軍，竟然比囊瓦的二十萬還難對付！再這樣下去，不但吳軍高昂的士氣會受到損傷，而且很有可能給後方楚軍喘息的機會，再想一舉攻入郢都，可就沒有那麼容易了。

正在焦躁，後方傳來了個好消息：唐蔡三萬「裝甲車部隊」趕到。

太好了！孫武高興得跳起來。有了這股生力軍加入，定能攻下沈尹戌。

吳軍顧不上吃午飯，六萬兵力一齊壓上，唐蔡的三萬「裝甲車部隊」在前，強攻勁弩在後，掩護著吳軍三萬劍兵，對楚軍陣地發動全面衝鋒。

有唐蔡的戰車在前面擋「子彈」，吳軍主力順利地衝進楚軍的陣地，短兵相接，一通亂殺，堅持了幾個小時的楚軍再也抵擋不住，全面崩潰。

破空的箭雨聲、利劍砍入骨肉的撕裂聲，夾雜著傷亡將士的哀號聲，此起彼落。英勇的楚軍拚盡最後一滴鮮血，無數的士兵倒在「扁諸」劍的劍鋒之下，血染沙場。終於解脫了，再也不用苦守陣地了，能在這裡拖住吳軍這麼久，他們已光榮完成了主帥交付的任務。

吳軍越衝越近，沈尹戌知道這個陣地守不住了，遂帶領部下死命突圍，可是四面八方都是吳軍，三次突圍都沒能衝出去，還身中數箭，僵臥車中，不能再戰。

眼看自己的主人就要掛掉，吳句卑發飆了，怒吼一聲，帶著數十名親兵，瘋了一般向前衝，殺開一條血路。

孫武明白此人千萬不能放跑了，否則後患無窮，揮軍在後，緊追不捨。

沈尹戌見大勢已去，遂叫過吳句卑，撐著最後一口氣說：「我不行了，你快點割掉我的頭，帶回去見楚王，我死也不能做吳人的俘虜！」

吳句卑拔出劍來，卻不忍動手。

沈尹戌大喝：「還不快動手？你忘了自己是怎麼答應我的嗎？」

吳句卑一咬牙，垂淚割下沈尹戌的首級，脫下外衣包好，跳車狂奔而去。

吳王闔閭霸業的祭台，再添上一顆死不瞑目的頭顱。

第 6 章

復仇

他猛爆出一陣狂笑，瘋了一般的笑，左腳狂踩屍體的肚子，右手挖出屍體的眼睛，接著取出一支九節銅鞭，發狂似的鞭撻，好似要將全身的力氣全部用光。

1 郢殤

水勢浩大，郢都城下變成一片汪洋。孫武拿出事先紮好的竹筏，三萬吳軍直接坐著船划進去。與此同時，楚宮之內一片混亂。楚昭王趕忙收拾包袱，出城跑路。

沈尹戌雖然壯烈犧牲，但總算爲蘧延的楚軍殘部贏得了寶貴的時間，得以順利撤回郢都。至此，楚軍主力全線崩潰，吳軍一路再也沒有遇上任何有組織的抵抗，稍作休整，便朝郢都直撲而去。

吳軍兵臨城下，楚昭王慌了，趕忙召集公子子西、子期等王族成員，商量如何應對。昭王的意思，是趕快捲舖蓋逃跑。如今漢江之險已失，郢都全面暴露在吳軍的兵鋒之下。大家都知道，郢都位於漢江平原，吳軍渡過漢水，就是一馬平川，孤零零的一座城池，如何守得住？

子西、子期是主戰派，他們哭著說：「社稷陵寢盡在郢都，大王怎麼可以棄之而去？現在咱們不是還有幾萬兵？只要精誠團結，誓死守城，然後派遣使臣，去漢東諸屬國召集勤王之師，合兵入援。吳軍深入我境，糧餉不繼，豈能久哉？」

昭王歎道：「你們的辦法行不通的，吳國人沒有糧餉，不會在楚國搶嗎？至於跟漢東屬國求援，要是從前，或許還能奏些效，可是如今被囊瓦那個誤國奸臣一搞，咱們的小弟大都不聽話了，這時候想讓他們幫忙，豈不是自討沒趣？」

子西還不甘心：「沒打就說輸，這不是長他人志氣，滅自己威風嗎？我看咱們還是先幹他一仗，真要不行，再跑也不遲。」

就這樣，昭王的兩個哥哥子西和子期決定做最後一搏，率軍嚴守郢都和兩個衛星城市紀南城和麥城，期待奇蹟發生。昭王則偷偷開始收拾包袱，準備一不對勁就跑路。

城外的吳軍營內一片歡騰，勝利的喜悅洋溢在每個人臉上。闔閭笑道：「幾位，咱們多年的努力總算沒有白費，何時入郢，也就是說話間的事兒了。」

勝利在望，伍子胥卻沒有掉以輕心，說道：「楚雖屢敗，郢都還有數萬兵，且三城互為犄角，也不是那麼容易攻下的。我建議將我軍一分為三，一軍攻麥城，一軍攻紀南城，大王則親率大軍直搗郢都，令其不能相顧。如此，郢都可破矣。」

孫武舉雙手雙腳同意：「子胥之計甚善，我從之。」

於是，伍子胥帶著公子山引兵一萬，再加上蔡國兵，一同去攻打麥城。孫武帶著夫概也引兵一萬，再加上唐國兵，一同去攻打紀南城。闔閭則親引最精銳的中軍部隊，攻打郢城。

ＰＫ正式開始！伍子胥ＰＫ麥城守將斗巢，孫武ＰＫ紀南守將宋木。一個是白髮魔男，一個是兵家聖祖，斗巢和宋木兩個倒楣鬼碰上了這麼一對絕代雙驕，結局用腳趾頭也想得出來，當然輸得一敗塗地，完全被爆頭。

伍子胥用的招數很簡單——堡壘由內攻破。他先引誘斗巢出擊，然後趁交戰之機將軍中楚國降卒混入。這些人混進城後，悄悄埋伏起來，等到夜半時再從城上放下長索，吊上吳軍敢死隊，趁著夜色殺死崗哨，打開城門，將早已等在門外的大部隊全部放進來。等斗巢從夢中驚醒，城裡面已經全都是吳國兵了，他只好帶著殘兵敗將，灰頭土臉地逃回郢都。

孫武用的招數不但簡單，而且毒辣——見紀南城地勢低下，且北有漳水，西有赤湖，正是水攻的大好地形，於是率軍築堤修壩，將河水灌入紀南城中。可憐的宋木連仗都沒打著就徹底完敗，只好帶著士兵百姓逃往郢都。

水勢浩大，連郢都城下都變成了一片汪洋。孫武早有準備，拿出事先紮好的竹筏，三萬吳軍直接坐著船划進了郢都。

與此同時，楚宮之內一片混亂。楚昭王聽說吳軍放水淹城，知道郢都不保，趕忙收拾包袱，帶著心愛的小妹芈畀和寵臣尹固（尹，又稱箴尹，楚國官名，主規諫），坐上船，從西門出城跑路。

公子子期正在城上戰鬥，聽說大王先跑了，只得帶著百官和剩下的楚軍追上去護駕。至此，郢都全面失守，吳軍就這麼輕輕鬆鬆地攻破了這個春秋時代數一數二的大國都城。算起來，距離柏舉之戰才不過十天，速度之快，就連闔閭自己都沒有想到。

回顧此役，吳軍千里奔襲，席捲楚境，五次連續作戰，五戰五勝，以三萬兵力狂勝二十萬大軍，奇蹟般打下春秋時代唯一一次攻破大國都城的戰役，給數百年來稱雄天下、不可一世的楚國空前的創傷，完成幾乎不可能完成的任務，創造了中國戰爭史上以少勝多、快速取勝的光輝戰例。戰國時期軍事家尉繚子因而讚道：「有提三萬之衆，而天下莫當者誰？曰武子也。」孫武名震天下，成爲後世無數軍事家頂禮膜拜的最高偶像。

吳國的這場勝利，代表著舊時代、舊戰法在新歷史時代的全面崩塌。

孫武創造性地使用了數千年後在二戰時期大放光芒的「連續作戰理論」、「大縱深作戰突破理論」和「追擊理論」，寫下超越了他所在的時代的偉大創舉，個中的奧妙，今人擊節讚歎。

我們都知道，春秋時期的爭霸戰，往往是一戰決勝負，也就是雙方選一個戰場，駕著戰車面對面衝鋒，誰的陣腳先亂，誰就算輸，對方一投降，這仗就打完了。從前楚宋爭霸的泓水之戰、晉楚爭霸的城濮之戰、泌之戰，以及秦晉爭霸的韓原之戰、崤之戰，莫不是如此。

這是春秋古風，那時候大家打仗，還是頗厚道的，從來沒有人會一仗接一仗痛打落水狗，非要置人於死地不可，因爲戰爭的宗旨是爭霸，爭霸戰爭，爭個名分嘛！只要承認我的權威，聽從我的指揮，做我的小夥伴，尊我老大，就可以了，無須趕盡殺絕。當然，這是指強國之間的爭霸戰。吞併小國的戰役不在此討論之列，再說小國往往就一個城，打完了就算，也不存在連續戰役的說法。

可是到了春秋末期，連續戰役的情況開始出現了，吳楚之間的柏舉之戰，就是中國歷史上第一個連續作戰的經典戰例。作爲這場戰役的實際指揮者，孫武開創了「連續作戰理論」在軍事行動上的首次應用，在軍事發展史上，意義十分重大。

所謂「連續作戰」，簡單來講，就是爲了粉碎敵人龐大的集團軍所連續實施的，一系列在時間上互相聯繫並能導致全線勝利的戰役。而「連續作戰理論」，實質就是在實施頭一個戰役的過程中就考慮並準備下一個戰役，以防止供應中斷和運輸堵塞，達成戰鬥行動的連續性，不給敵人變更部署和組織戰鬥的時間。

吳軍在淮汭捨舟登陸後，運用「大縱深突破理論」疾行數百里，趕在楚兵增防之前迅速突破三大險關，然後從豫章開始，一路作戰五次，五戰五勝，不是「連續戰役」，又是什麼？

另外，我們也知道，春秋時期的大多數戰役，「逐奔不過百步，縱綏不過三舍」，也就是說擊敗敵人之後，在戰場內的追擊不能超過百步，而在戰場外追擊的縱深不得超過九十里。

其實，這都是車陣的做派。《尚書牧誓》裡面講到武王伐紂，就是這個樣子，「不衍於四步、五步、六步」，走個四五步就要停頓下來，重新看齊，排好隊。「不衍於四伐、五伐、六伐」，砍殺四五下一定要停頓下來，大家再重新開始。這就是使用戰車作戰最大的一個缺點：駕車技術要求高、機動性差。

要知道，春秋時代的戰車不是現代的小轎車，沒有方向盤，更沒有安全氣囊，轉向進止完全要靠繩轡對戰馬的駕馭，而且底盤高、輪子大，一不小心就會掉下去。用這種東西打仗，當然慢吞吞、傻兮兮，難搞得緊。

隨著部隊裝備的改進、戰略意識的提升以及步兵使用的增多，春秋末期的很多戰役已經不再遵循這個古法。「柏舉之戰」就是春秋時期第一場突破性使用「大縱深追擊理論」的經典戰役。

所謂「大縱深追擊理論」，就是進攻者一旦發現敵人準備退卻，就應該立即轉入追擊，力求阻止敵軍有組織的退卻，在敵到達新的防禦地區並與從縱深開來的預備隊會合之前，予以圍殲。

吳軍在柏舉擊敗楚軍主力後，並沒有停住腳步，而是立即對敵展開了全面追擊，一路狂追數百里，遠遠超過了古法中規定的九十里，要不是後來沈尹戌及時趕到雍澨，並展開頑強的阻擊，楚軍主力很有可能當場被圍殲。

2 郢慟

好不容易攻入郢都，應該請命於周天子，以確立霸主地位，可是闔閭沒有這麼做。他沉迷在溫柔鄉之中，唯一幹的一件大事，就是將楚後宮的后妃宮女睡了一遍。

楚昭王這個小夥子似乎不像他老爹楚平王那麼好色，危急時刻帶走了金銀財寶，也帶走了心愛的小妹芈畀，卻沒有帶走他老婆。

更難解的是，他連自己的老娘、秦國大美女孟嬴也沒有帶走。大概是因爲他媳婦和老媽都不是楚國人，情急之下，也就顧不了那麼多了。

老大都沒有帶走自己的家室，子西、子期等大臣自然也不好意思帶上老婆跑路，把這些美女全部留給了死敵吳國人。

吳國佔領軍一入郢都，第一件事兒就是按照地位高低，分別住進楚國宮室和大夫的府第，分享楚國人的老婆。楚後宮的三千佳麗自然歸了吳王闔閭，司馬沈尹戌、公子子西和公子子期等人的大小老婆則歸了伍子胥、孫武、伯嚭等人。

吳國人這麼做，倒不是因爲眞的就那麼好色，而是吳楚數十年來交戰，雙方的仇恨早已濃得化解不開了。特別是伍子胥和伯嚭兩個人，與楚國有不共戴天之仇，睡仇人的老婆，正是侮辱他們的方式之一。

正所謂殺父之仇，奪妻之恨。別人殺我的老爸，我就睡他的老婆。在中國歷史上，這似乎是一種很正常的報復行爲，就連一代明君唐太宗李世民也不能免俗，曾在玄武門之變後強娶他兄弟的老婆，眞的是很黃很暴力。

仇恨，的確是一種很可怕的東西。刺激之下，人性往往會被扭曲到極點。這個時候，什麼禮教、道德，統統都是狗屁！

如果說伍子胥和伯嚭屬於復仇派，唐侯和蔡侯則應屬於復仇兼趁火打劫派，兩人最大的仇人當然就是關了他們三年的草包令尹囊瓦了，所以進城後的第一件事兒，就是衝到囊瓦府中一通豪奪，不但把玉佩、皮裘、寶馬全給追回來，還將府中金銀財寶一掠而空，作爲自己辛苦出兵的酬勞。

既報了仇，又大削一筆，唐侯和蔡侯算是賺到了，遂見好就收，各自告辭，打道回府。

除了這兩幫人外，還有一撥人是爭功奪權派。

世界上從來就不缺少這麼一種人，在求取勝利的時候，他們可以同舟共濟、一致對外，可一旦勝利到手，就會反目成仇、爭權奪利。

夫概和公子山，正是這幫人的正宗典型。

公子山覺得自己是闔閭的兒子，當然要住在令尹囊瓦的府裡，睡他的老婆，可是闔閭的弟弟夫概不服氣，他覺得自己在柏舉之戰中立有大功，怎麼能屈居在公子山之下？竟不由分說便出兵攻打侄子。公子山當然不是猛將兄夫概的對手，一番PK後慘敗，只好讓出府第和美女。

吳國的又一番內鬥，從此而始。

至於老大吳王闔閭，則屬於享樂派。空前的勝利一下子沖昏了他的頭腦，就像個一夜暴富的暴發戶，突然間有了無數的金銀財寶，開心地都找不著北了。所以他放縱屬下胡來，渾然不覺自己在楚國的軍隊不過才三萬，若不靜下心來先穩定住局勢，隨時都有可能將贏來的錢全部賠進去。

按道理講，好不容易攻入郢都，應該請命於周天子，並召集諸侯舉行會盟，明正楚人之罪，以確立自己的霸主地位，然後派兵四略楚國各地，鞏固並擴大戰果，幹得好的話，說不定可以眞正成為春秋第一大國。

可是闔閭沒有這麼做，他日夜沉迷在楚宮的溫柔鄉之中，在郢都近一年的時間裡唯一幹的一件大事，就是將楚後宮所有的后妃宮女挨個兒睡了一遍。或許，吳王闔閭壓根就沒想過要吞併楚國，他其實只想當個大強盜，狂撈一筆，然後走人。

更扯的是，闔閭睡完所有的宮女嬪妃還不過癮，又想去睡楚昭王的媽，秦女孟嬴。孟嬴可是個大美女，當年楚平王爲了她，不惜和自己的兒子反目，可見其美色殺傷力之巨大，現在雖然年紀大了些，但徐娘半老，更添幾分成熟女人的魅力啊！闔閭也是個正常的男人，自然無法抵擋這致命的誘惑，厚著臉皮、流著口水，跑去勾搭。

孟嬴命苦啊！當年老公莫名其妙從一個帥哥換成了一個老頭，已經很委屈了，現在又要陪闔閭這個大色狼睡覺，當然一萬個不答應，門就是不開。闔閭大怒，命左右撞門。孟嬴心想，年輕的時候服了軟，結果後悔了一輩子，現在老了可不能晚節不保，乾脆一咬牙拔出短劍，嬌喝道：「我聽說一國領導人應該是全民的表率，怎麼能做出禽獸之事？你這麼做，不怕天下人恥笑，不怕給你的臣民丟臉嗎？未亡人寧願伏劍而死，也不會屈服在你的淫威之下！」

吳王闔閭被孟嬴義正詞嚴地教訓了一番，滿心不是滋味，只好作罷。算了！強扭的瓜兒不甜，楚後宮有的是肯服軟的美女，也不缺一個老太婆。

唉！孟嬴早這麼剛烈，太子建和伍子胥一家人後面就不會如此慘了。她的覺悟未免也來得太遲了一些。

伍子胥等人被仇恨蒙住了雙眼，夫概等人被權力迷昏了神志，就連闔閭也被勝利沖昏了頭腦，現在，只有孫武一個人還能保持清醒。

他屢次勸諫吳王未果，心裡那是拔涼拔涼的。衆人皆醉我獨醒，不但感到了前所未有的孤獨，似乎也預見了悲劇的結局，他不忍，卻勸不動老闆闔閭，也勸不動好朋友伍子胥。在這個瘋狂的時刻，似乎所有人都瘋了。

終於，孫武做出了一個重大而明智的決定：在人生功業的最高點悄然隱退，繼續寫作《孫子兵法》。也許，在這個紛亂而醜惡的世界上，轟轟烈烈幹一場後功成身退，正是最好的結局。

一個燈火闌珊的夜，孫武獨自一人離開郢都，飄然而去。從此以後，這個兵家聖祖就好像人間蒸發了一般，再也沒有出現。而一百多年後，在孫武的老家齊國，將會再有一個天才軍事家橫空出世，自稱是孫武的後人，名字叫孫臏。

3

鞭屍

他猛爆出一陣狂笑，瘋了一般的笑，左腳狂踩屍體的肚子，右手挖出屍體的眼睛，接著取出一支九節銅鞭，發狂似地鞭撻，好似要將全身的力氣全部用光。

似乎，在這段復仇的歷史中所有的主人公，只有孫武獲得了比較好的結局，至少要比他的好朋友伍子胥的結局好上一萬倍。

伍子胥的一生，完全就是悲劇，那一段噬骨的仇恨就像影子，無時無刻不與他糾纏在一起，無論他怎麼做都無法擺脫。就算是現在攻下了楚國的都城，毀掉了楚國的宗廟社稷，內心依然無比陰暗、依然彷徨無措。

他一定要做一件事來稍稍平復一下心中狂湧而出的仇恨之焰，不然，非被這團烈焰燒焦不可！

伍子胥要做的這件事，就是挖出仇人楚平王的屍體，鞭屍洩恨。

——我曾立下誓言，你所帶給我所有的痛苦，一定要加倍奉還。你雖然死了，也不能就這麼饒過。我要毀掉你在這個世界上所珍惜的一切，包括你的國家、你的老婆、你的兒子，還有你的屍體！

要知道，在古代，鞭刑是上司對下屬、主人對奴僕懲罰時所施的常用方式。伍子胥選擇這個方式對待楚平王的屍體，等同於對楚王以及楚國最大的侮辱。

伍子胥歷經千辛萬苦，終於探知楚平王之墓就在郢都東門外寥台湖一帶，於是帶兵前往搜尋。可是，到了地方一看，但見平原衰草，湖水茫茫，四處搜覓，均不見王墓蹤影。

天色慢慢黑了，大家還是一無所獲，隨從們滿臉無奈。

努力了十數載，一切卻仍是泡影，他禁不住捶胸，向天狂吼道：「老天，爲什麼？爲什麼你不但不讓我親手殺死我的仇人，甚至連他的墳墓都不讓我找到？你如此不公，何以爲天？」

話音甫落，突然一陣電閃雷鳴，傾盆豪雨肆虐著席捲而下，沖刷著夜色籠罩的原野，世界一片荒蕪。

彷彿那一瞬間，天地間只剩下風聲和雨聲。

瓢潑的大雨劈頭蓋臉地砸在伍子胥的臉上、身上，但他一點都不覺得痛。因爲痛到了極點，就變成了麻木。

一聲長嘯，他在荒野上狂奔起來，忽然腳下一滑，摔倒在泥濘的路邊，整個人無助地趴在地上，似乎沒有一點兒想爬起來的意思。

卻在這個時候，朦朧的雨線中，一雙草鞋出現在眼前。

伍子胥抬起頭，但見一個灰衣少年，打著一把紅傘，笑眯眯地看著他。

「伍將軍，你要找的，莫非就是楚平王的墳墓？」

「你是誰？你怎麼知道我的名字，還知道我的來意？」

「小生無名無姓，大家都叫我江湖閑樂生。你不是想找楚平王的墳墓嗎？我可以告訴你。」

伍子胥大喜，也顧不上搞清楚這個少年到底是什麼人，忙問：「眞的嗎？你若是肯幫我找到這昏君的墓地所在，多少錢我都可以給你。」

「小生乃化外之人，錢財對我來說，不過是一堆糞土，沒有任何用處。導演，哦！不是，上天見你可憐，故派我來給你指點迷津。楚平王這個人，一輩子幹了不少缺德事兒，生怕別人日後挖他的墳，所以將自己深埋在了寥台湖之底。想得到他的屍體，必須先弄乾湖裡的水。」

伍子胥大喜，連忙派軍士連夜負沙阻住流水，又洩去湖水，果然在湖底發現一個巨大的石棺。

大家齊心合力，「哼哧哼哧」地將這個龐然大物抬上岸來，打開一看，卻發現裡面只有楚平王的衣冠，以及一大堆耀眼的金銀財寶。

伍子胥可不稀罕金銀財寶，一把拉過江湖閑樂生，怒道：「好小子，你敢玩我？」閑樂生笑道：「將軍息怒，此乃疑棺也，眞棺尚在其下。」

伍子胥放開閑樂生，說了聲抱歉，令人挖開原石棺所在地下面的石板，果然又發現一口銅棺，打開一看，裡面赫然是一具屍體，雖然埋在湖下多年，但因用水銀等化學物質殮過，膚色不變，面色如生。

雷電閃過，映得天空一片煞白，也將那具屍體照得清清楚楚，毫髮可見。伍子胥一輩子都不會忘記這張臉——楚平王！這就是楚平王熊棄疾的屍體，絕對不會錯！

他先沉默良久，跟著猛爆出一陣狂笑，瘋了一般笑著，瘋了一般衝上去，左腳狂踩屍體的肚子，右手挖出了屍體的眼睛，嘶吼著說：「你活著的時候不辨忠奸，殺我父兄，死了還要眼珠何用？」

接著，他取出一支九節銅鞭，開始發狂似地鞭撻楚平王的屍體，一下又一下，好似要將全身的力氣全部用光。

無聊人士《吳越春秋》的作者東漢人趙煒幫伍子胥數了一下，硬說他一共抽了三百鞭。我這個無聊人士也幫忙算了一下，三百鞭，就算兩秒鐘抽一鞭，中間不休息，也需要足足六百秒、十分鐘之久，伍兄的體力還眞好啊！

終於，楚平王的屍體被抽得只剩一堆血肉，伍子胥無力地癱倒在地，仰天狂笑，銀白的亂髮漫天飛舞，景色極其恐怖，像極了來自地獄的惡魔。

閑樂生搖頭，滿臉都是悲憫。其實每個人的心中都有一個魔鬼，只是伍子胥將它毫無掩飾地釋放出來了而已。

伍子胥還在笑，俊朗的臉龐以不可思議的狀態扭曲著，無比猙獰。漆黑的夜色中，沒有人發現，當此同時，另有一滴晶瑩的淚珠慢慢沿著他的臉頰滑落。

惡魔也會流淚嗎？

這個世界上最痛的悲，正是笑著流淚。

這滴眼淚包含的，除了爲父兄雪恨的欣喜，更多的是激動過後的空虛，以及無奈。

伍子胥明白，就算自己再怎麼折磨楚平王的屍體，他的父兄也不可能再活過來了。他並不是什麼白髮魔男，更不是什麼復仇男神，他，只是一個失去國家、失去親人，永遠無法找到歸宿的可憐蟲。

如果說這些年來，他還有一個奮鬥的目標叫作報仇，那麼此刻起，將再也沒有可以讓他努力爲之奮鬥的標的。

吳國並不是他眞正的國家，他眞正的國家已經被自己親手毀滅。以後，他只是一具名爲「伍子胥」的軀殼，他爲吳國所做的任何事，只是盡一個朋友和臣子的義務，而這個世界上所有的一切，都不再重要。

伍子胥仍然像個落湯雞般傻傻地坐在風雨中，渾然不覺那個叫江湖閑樂生的奇異少年已莫名其妙地消失。狂風吹來，將他的淚水刮到無邊無際的夜空之中。他的臉上依然沒有任何表情，彷彿狂風暴雨根本不存在。

就讓大雨把世上所有的東西都沖乾淨，沖光了吧！空蕩蕩的，就解脫了。什麼都沒有了，身體沒有了，心，也沒有了。

4 楚昭王流浪記

昭王跟著尹固、鍾建奪路狂奔，沖天的大火照亮了叢林的夜空，熟悉的哀號聲和群盜的怪叫聲響徹四野。他覺得襠部有點濕，一摸，自己居然嚇得尿失禁了。

楚平王的屍體已經化作微塵，而他的寶貝兒子楚昭王，正帶著自己的小妹和一幫文武大臣，徒步渡過睢水（今湖北當陽縣），流亡在荒澤之中。

伍子胥當然不會就此甘休，派出追殺部隊四處圍追堵截，決意要將這個極具威脅的流亡政府扼殺在搖籃之中。

可以想見，楚昭王的這場亡命之旅一定充滿了艱辛和危險。據《左傳》記載，爲了擺脫吳軍的追殺，有一次楚昭王甚至還動用了非常規性武器，不知從哪找來一群大象，派人用火點著牠們的尾巴，使其受驚，衝向吳國的追兵，從而得以逃離險境，渡過長江，遁入窮山惡水的雲夢澤之中。

大家不要以爲自己看錯了，《左傳》明文記載，楚昭王出動的確實是大象軍。從這裡也可以看出，遙遠的春秋時代，中國的南方山林中還生活著數量龐大的象群。可惜由於環境的惡化，現在再也看不到了。同志們，要愛護環境呀！

雲夢澤雖然地形複雜，山澤密佈，比較容易擺脫追兵，但這個地方遍地都是兇猛的野獸，尤其還有比野獸更兇猛的野蠻人。這些被世界遺忘的生物唯一遵循的就是叢林法則，弱肉強食，才不管你是什麼大王公主，落到我的手裡，就是一群獵物，和可以隨意宰殺的禽獸沒有任何區別。用腳趾頭想也知道，楚昭王一行躲在這麼一個危機四伏的叢林裡，根本就是自尋死路。

危險如期而至。一夜，身心俱疲的楚國王族露宿在山林之中，正要進入夢鄉，忽然四周殺聲動天，一群披頭散髮的野蠻人怪叫著衝進了營地，見東西就搶，見人就殺。

楚昭王剛爬起來，一把長戈已先劈頭蓋臉地砸了下來，距離他的腦袋不過〇．五米。眼看昭王就要一命嗚呼，楚大夫王孫由於奮不顧身地衝過來擋住，大聲喝道：「住手！這可是楚國的王！你們想幹什麼？」

〇．五秒後，只聽喀啦一聲，王孫由於被一戈正中肩膀，鮮血直流，昏倒在地。

「我管你們是誰！在這裡我們就是老大，天王老子也要一邊兒去！」那些人中的首領說。

楚昭王嚇得魂不附體，一邊爬一邊大叫：「護駕！快來護駕！」

尹固帶著人亂打一陣，衝上前來，扶起不停發抖的他，奪路而逃。

昭王又叫：「我的小妹還在裡面，誰去救她？」

話音未落，下大夫鍾建已背著公主芈畀殺開一條血路，朝他們跑了過來，口中大喊：「大王放心，公主有我保護，咱們快逃！」

昭王大喜，當下也顧不上辛苦帶出來的金銀財寶和拚死保住他性命的大恩人王孫由於，跟著尹固、鍾建等人奪路狂奔。

身後，沖天的大火照亮了叢林的夜空，熟悉的哀號聲和群盜的怪叫聲響徹四野。昭王覺得襠部有點濕，一摸，自己居然嚇得尿失禁了。

心理學告訴我們，內心的恐怖可以刺激出愛情的荷爾蒙，這就是電影裡男主角和女主角亡命天涯後往往會變成一對愛侶的科學解釋。於是，故事發展到這裡，突然變得溫馨起來。一對鴛鴦，竟在這段亡命旅程中結了緣。

卻說楚昭王等人夜奔數里，見那群野蠻人沒有追上來，這才鬆了一口氣，尋著一棵大樹坐下來休息。折騰了半夜，天色已漸漸轉明。噪耳的鳥鳴聲響徹山林，微風拂面，晨意盎然，昨夜的驚險好似一場大夢。

鍾建輕輕地放下公主，折過臉去，不敢看她，但清新的空氣，伴著少女的清香，早已沁入他的心田。一時間，小夥子心醉神迷。

一旁，芈畀滿面紅霞，低著頭，一語不發，氣氛尷尬而微妙。昨夜，鍾哥哥寬厚的肩膀給了她從未有過的安全感，而他背著自己奮勇殺敵的英姿，又是那麼的瀟灑逼人……這一切，都讓芈畀美眉春心蕩漾，荷爾蒙流竄全身。

在兩個情竇初開的年輕人心中，愛情的嫩芽，悄然萌發。

一旁的楚昭王看在眼裡，記在心中，數年後便將小妹許配給了鍾建，並將他提拔爲主管宮廷樂舞的樂尹，成爲這段暴力血腥歷史中難得的一段浪漫插曲。

不多時，子期等一干文武大臣也跟了上來。金銀財寶是全沒了，好在人沒死多少，就連重傷的王孫由於，也因爲躺在地上的樣子很像死屍，沒被發現，居然同樣僥倖逃了出來。

楚昭王清點了一下人數，發現重要人物大多還在，心情頓覺寬慰：「太好了，大家都沒事兒！錢雖沒了，但只要保住性命，咱們總有東山再起的一天。只是這個雲夢澤絕對不能再待了，這裡的人比吳國人還可怕。」

大將斗巢說：「大王不必擔心，我哥哥鄖公斗辛在離此不到四十里的鄖邑（今湖北沔陽縣一帶），咱們可以先去那兒避一避。」

幾人一聽主意不錯，紛紛附議，這個鬼地方一刻也不能留了，否則自己哪天死了都不知道怎麼死的。就這樣，楚昭王一行又馬不停蹄地去往鄖邑。滿以爲總算可以舒舒服服地安頓下來，沒想到前面有一個更大的危險在等著他們。

斗氏一家有三兄弟，老大爲鄖邑的行政長官斗辛，老二叫斗懷，老三就是倡議者斗巢了。三兄弟中，老大和老三都是「好人」，換而言之就是所謂的「忠臣」，唯有斗老二跟伍子胥一樣是個有仇必報的眞君子。如今一見仇人楚昭王送上門來，不由大喜，表面上裝出熱烈歡迎的樣子，心中卻暗暗地動了殺機。

原來，幾十年前，斗氏三兄弟的老爸斗成然是楚平王的得力幹將，曾爲楚平王逼死親哥哥坐上王位的事立下過汗馬功勞，可是後來，斗成然居功自傲，不把楚平王放在眼裡，楚平王於是借費無忌之手除掉了他。又是這個費無忌！史書載楚平王是因爲費無忌的讒言才殺死了那麼多忠臣，我看，事實恐怕沒有那麼簡單，兩人之間應該是互相利用的關係。

正所謂「父債子償」，斗老二雖然沒有伍子胥那種奮然與楚決絕的勇氣，但見仇人的兒子送到了砧板上，也沒有理由輕易放過這個大好機會。

知弟莫若兄，斗老大在飯桌上觀察到斗老二眼神閃爍、面色異常，就猜到裡面有點兒不對勁，忙趁著弟弟上洗手間的機會偷偷跟上去，一把拉過，質問道：「說！你是不是有什麼事兒瞞著我？」

斗老二嘴邊掠過一道陰狠的笑容：「既然猜到，我也就不瞞你了。楚王是我們的大仇人，我要殺了他爲老爸報仇！」

斗老大大驚：「你胡說些什麼？」

「哼！當年楚平王殺了我們的老爸，現在我殺死他的兒子，有什麼不對？」

「閉嘴！這是造反，你知不知道？天下間，你找誰報仇都可以，就是不能找大王報仇，因爲我們都是忠臣來著。」

「狗屁！現在楚國都沒了，還有什麼大王？我們不是楚臣，他也不是楚王，他就是我們的仇人！父仇不共戴天，我斗懷見仇不殺，何以爲人？」

「不對！不對！殺老爸的是楚平王，關他兒子什麼事？再說，你現在要是殺了他，豈不是乘人之危？有仇不報非君子，乘人之危就是君子嗎？二弟，冤冤相報何時了？算了吧！」

「你這個懦夫！我沒有你這樣的大哥！我不管，我就是要殺了他！」斗老二揚著劍，恨恨地往外走，看來是要去找小弟了。

斗老大愣在當場，不知如何是好。正在這時，楚昭王衝了出來，滿頭冷汗。原來剛才他也發現了不對勁，一直在門裡面偷聽。

所有人陸陸續續地走了出來，看著兩人難看的表情，頓時明白了一切。還是斗老三比較冷靜，他說：「二哥說不準什麼時候就會回來，這裡不能待了，大王，我送你去隨國（今湖北隨縣南）吧！隨君是我的好朋友，我可以保證，他絕對可靠。」

一旁的公子子期怒道：「親兄弟都不可靠了，好朋友能可靠嗎？你能保證隨君不會貪生怕死，把我們送給吳國人？」

斗老三無言以對。楚昭王說話了：「如果要這麼說，這世上就沒有任何地方可以讓我們容身了。斗巢，寡人相信你，你帶我們去隨國吧！」

斗老三感激地看了一眼楚昭王，什麼話也沒說，趕緊和斗老大連夜將昭王護送到了隨國。

事實上，楚昭王心中一點兒底都沒有。

當高高在上的王權轟然崩塌，在這個弱肉強食的可怕世界上，沒有任何人可以讓他百分之百地相信。但是他又能怎麼辦呢？聽天由命吧！

楚昭王也夠慘的了。本來，楚國身爲春秋時代數一數二的強國，地盤大，小弟多，數百年來，歷任楚王大多雄才大略，傲視天下，壓根不把周天子放在眼裡，中原列國也沒有一個能拿它怎樣，就算是一代霸主齊桓公、晉文公，也不過略挫其鋒，無法動搖其根基。可是輪到楚昭王這兒，楚國卻莫名其妙地變成了一個軟柿子，隨隨便便就被東海小邦吳國的區區三萬軍隊打得落花流水，師喪國滅，宗廟為墟，自己也落得個亡命天涯、被天下人恥笑的下場。

好在郢都雖破，人心未散。百姓們雖然對昏庸無能的楚國政府沒啥好感，但也不願意當亡國奴。綜觀吳軍入楚後的所作所為，這些人未必會比楚國君臣好多少，與其窩窩囊囊地去當吳國的二等公民，不如奮起一搏，趕跑吳國人，恢復楚國江山。

所以，當楚昭王四處逃命，掙扎求存的同時，另外一支楚國的殘軍在公子子西的帶領下，提出「各致其死，卻吳兵，復楚地」的口號，發起了愛國救亡運動。為了安定國人，子西還自稱楚王，擺出了楚王的車馬儀仗，以此號召國人組織抗戰，很多百姓父兄都攜幼扶老從吳佔領區逃了出來，自發組成武裝投奔。

楚昭王不久後也終於結束了艱辛的流亡之旅，在楚國的屬國隨國暫時棲身，靜待機會，積蓄力量，圖謀反攻。

吳王闔閭忙著應付楚後宮的美人，沒心思管楚昭王的死活，可伍子胥不會對這個心腹大患置之不理。聽說楚昭王竟然逃出了吳軍的手掌心，跑到了隨國去，便親自帶兵前去要人。

他給隨君寫了一封信，上面說：「姬姓周朝子孫凡是封在漢川一帶的，都被楚國滅掉了，你們隨國正是其中一個。現在我們滅掉了楚國，不正是幫你們報了先祖的仇？你卻要包庇楚王，這麼做如何對得起周天子，又如何對得起你的祖先？還是趕快把楚王交出來吧！我們可以把漢水以北的土地全部封給你。」

這就叫三十年河東、三十年河西。伍子胥當年被楚平王追得滿地亂竄，現在反過來追殺他兒子了。隨君看了信，抱著頭糾結起來。吳國人提出的條件很優厚啊！再說，楚王不過是一個亡國之君，我幹嘛要放著好處不要，而去得罪氣勢洶洶的吳國人？只是楚王和斗巢千里迢迢地跑來投靠我，我若翻臉無情，落井下石，豈不是讓天下人說我不講義氣？怎麼辦呢？

這一刻，楚昭王真是命懸一線，死活就在隨君的一念之間。還好之前楚臣公子子期多留了個心眼兒，千鈞一髮之際，安插在隨國宮中的線人及時將這個重要情報告訴了他們。

楚昭王大驚失色，習慣性地又開始收拾起包袱了：「寡人怎麼這麼命苦啊？還沒睡幾個安穩覺，又要跑路。」

子期攔住他，急道：「大王，千萬不能走！現在隨國四周都是吳軍，出去不是去送死嗎？」

昭王一攤手：「那怎麼辦？總不能留在這兒等死吧！」

子期在房內不停地踱著步，忽然一拍腦袋：「對了！為臣相貌與大王相似，不如讓隨國人把我交出去，或許可以騙過吳國人。」

「不行，你這不是陷我於不仁不義嗎？」

「大王，事情緊急，顧不了那麼多了，您還是讓我去吧！」

楚昭王想了半天，覺得還是性命重要，於是假惺惺地掉幾滴眼淚，讓子期替他去赴難，自己則躲了起來。

子期穿上楚王的服飾，逕自來找隨君，說：「還是把我交給吳軍吧！這樣楚隨兩國都能免禍。」

隨君還是拿不定主意。這個決定還眞的不好下，這種時候，只要稍稍走錯一步，隨時都有可能遭受滅頂之災。怎麼辦呢？占卜唄！

這就是當時社會人們的思維邏輯，碰到了難事怎麼辦？占一個卜就行了。讓上天來幫助自己解答這道難度係數超高的選擇題，無論對錯，咱們都認了，就算最後失敗，那也是天意。套一句那時最時髦的話：此乃天意，不可違也。

隨國的太史獻繇用烏龜殼占了一卦，卦象顯示把子期交給吳國不吉。

隨君一看，老天爺叫我們不要交人呢！好吧，那就按照上天的旨意來辦，堅決不交人！他給伍子胥回了一封信，說：「隨國一向是楚國的小弟，且世有盟約為證，寡人不能一有危難就拋棄老大。你們請回吧！何必非要爲難一個亡國之君呢？」

伍子胥見隨君不肯交人，大怒，便想出兵教訓他們一頓。沒想到隨國人一連幾日堅守不出，又過了幾天，公子子西率領的楚國抵抗組織也跑來跟昭王會合。如此一來，隨國這塊硬骨頭變得越發不好啃，吳軍無奈，只好暫時撤退。

就這樣，楚昭王又奇蹟般逃過了一劫，他十分感謝隨君的救命之恩，當即割破公子子期胸口的皮膚，取血和隨國國君盟誓，從此以諸侯之禮對待。

另外，在楚昭王的流亡過程中，還流傳下來不少有意思的小故事。

據賈誼《新書．諭誠》載，昭王逃命的時候，穿在腳上的鞋破了，他就脫下無法再穿的鞋，背在肩上。途中，背著的一隻鞋子掉落在地，等發現時大約已走出三十步，他還是折回原地，把失落的那隻鞋撿起。

他身邊的侍從們不解地問道：「王呀！你幹嘛如此愛惜那隻破鞋？看看，都不能穿了，要是我，早就把它丟了！」

昭王看著破鞋，深情地說：「你們不懂。寡人現在雖然落魄了，但還沒有窮到連破鞋都不捨得丟掉的地步。可是，寡人是穿著這雙鞋逃出來的，怎麼能將一隻穿回，另一隻丟棄在外面呢？我對它們已經有感情了。」

大家聽了昭王的話，都受到了一次良好的震撼教育，大王都如此愛惜舊物，我們怎麼能再奢侈浪費？從此，國家上下就形成了省儉風氣。

可以說，這是楚國歷史上的一個重要轉折。

多年來，楚人正是因爲安於享樂，不思進取，再加上連年內鬥，消耗不少元氣，這才被吳國這個東海小邦慢慢追上，最終遭受滅頂之災。但在劫難之後，國家自上而下開始反省自身，開始變得團結。這還眞應了那句話，「福兮禍所伏，禍兮福所倚」。吳國的入侵，雖然給了楚國嚴重的打擊，卻也及時震醒了這頭沉睡的雄獅，從而產生出一股強大的民族凝聚力。正是這股凝聚力，讓楚國得以在春秋戰國之交悄然蛻變，並在接下來的數百年內雄踞戰國七雄之列。要不是後來楚懷王亂搞，統一六國的或許是楚國也說不定。

對於年輕的楚昭王，這一段痛苦而艱險的亡命之旅，一定給他留下了非常深刻的印象。不經歷風雨，怎麼能見到彩虹？挫折和磨難最能夠鍛鍊人，讓人迅速成長。通過這一年的流亡生涯，少不更事的楚昭王以火箭般的速度成長起來，成爲一個成熟的政治家。很快的，他將可以自豪地對天下說：我長大了，我再也不是一個只懂得享樂的小屁孩了！郢都的百姓們，你們等著，我總有一天會打回來的！

5 快意恩仇

伍子胥看到一個年輕人大咧咧地來到營門口，正自奇怪，那人接著拿出一支船槳，一邊敲，一邊高聲唱起歌。頓時，無數往事劃過腦海，這個人，莫非是……

卻說吳國大將伍子胥拿隨國沒辦法，便轉而攻打鄭國。當年鄭定公曾害死過他的舊主子好兄弟楚太子建，還派人追殺過自己。另外，伯嚭的大仇人楚令尹囊瓦也躲在鄭國。如此大仇，不能不報！

吳國兵臨城下，鄭定公的孫子鄭獻公慌了。

你看看，我爺爺當年幹的什麼事兒？惹誰不好，非要惹伍子胥這個白髮魔男！聽說他把仇人楚平王的屍體都從墳裡翻出來鞭了三百下，如此可怕的恐怖分子，我可不想得罪他。

他將群臣都找了來，面色沉重地道：「連堂堂大楚都被吳國人滅掉了，咱們鄭國肯定不是對手。你們說說看，寡人該怎麼做才能退去吳軍，保住鄭國的社稷呢？」

大家一句話沒說，紛紛轉頭看向一個肥頭大耳油光滿面的大胖子，那種期盼的眼神，就好像他是鄭國的救世主一般。

這個大胖子當然不是什麼救世主，他只是一個除了要錢其他啥都不會的草包，名字叫囊瓦。

囊瓦見所有人都目不轉睛地看著自己，心裡不禁有點發毛，一挺脖子說：「你們都看著我幹嘛？沒看過帥哥呀！」

衆人的目光更加深情了，齊聲道：「帥哥，爲了鄭國的安危，你快點死吧！我們求求你了！」

囊瓦不斷往後退，口中大叫：「你們想幹什麼？別亂來啊！我可是個高級幹部，還是很高級的那種，明不明白？」

大臣子產一把揪住他的衣領，冷笑道：「當然明白！你要是不高級，怎麼會把二十萬楚軍全賠光，還可以吃得下、睡得香，像沒事人一般神氣地活在世上？你那頑強的生命力，以及城牆般的厚臉皮，眞是讓我們佩服得五體投地，有如滔滔江水，綿綿不絕。」

囊瓦強笑道：「生命如此美妙，你卻如此暴躁，這樣不好。我知道你們佩服我，但也不用這麼激動嘛！好啦！看在你們如此崇拜我的份兒上，我就將我貪污受賄、聚斂財寶的秘笈全部傳授。這也就是你們喲！旁人我都不告訴他……」

話音未落，所有的鄭國大臣全都衝了上去，將他圍在中央，就是一頓暴雨般的拳打腳踢。

囊瓦無法還手，只能蜷起身子，口中還在叫：「住手！我可是個高級幹部，你們的職位都比我低，怎麼能打我？」

鄭獻公再也忍不住，捋起袖子衝下來，在人群後面喊：「你們悠著點兒，無論如何也留給寡人一腳！」

囊瓦強忍劇痛，從雨點般的拳腳中探出一個頭來，說：「就是，有了好東西一定要留給領導一份，這樣才能撈到更大的好處，這可是我的經驗之談哪！別光顧著打，也要好好地學習體會一下我的真知灼見才行……喂！你們還打？好痛啊……」

第二天，城外的吳軍哨兵從鄭國人手中收到一具肥胖的屍體，隨即轉交給主帥伍子胥和副帥伯嚭。

伍子胥將屍體翻過來認真地看了看，笑著對伯嚭說：「哇！沒想到鄭國這幫君子也這麼野蠻！你看看，囊瓦都快被打成豬頭了！」

伯嚭則淚如雨下：「爹啊！娘啊！兒子我終於爲你們報仇了！」

伍子胥安慰了他幾句，拿出一條銅鞭，說：「喏！給你，要不要也抽抽他的屍體出出氣？」

伯嚭收住淚水，板著臉：「才不要！這是你玩剩下的東西，我可不想拾人牙慧！」

兩人相視而笑。

伯嚭又問：「鄭國既然服軟了，咱們是不是放了他們？我覺得，還是抓楚王比較重要。」

「不行，楚王要抓，鄭國也不能放過。太子建是我的兄弟，我一定要幫他報仇！」

伍子胥收了屍體，仍不肯退兵，連日攻城不止，非要置鄭國於死地不可。

這下子鄭獻公傻眼了，看來這個恐怖分子不會輕易罷手，怎麼辦？

他無助地看著朝堂上的群臣，全身一陣陣的虛脫。滿朝文武此時也個個變成了寒蟬，你看著我，我看著你，誰也拿不出辦法。

關鍵時刻，還是第一賢臣子產想到了個好辦法，說：「從前鄭文公時，晉文公和秦穆公也曾圍攻過我國，大家都沒辦法，最後卻是一個沒沒無名的老頭燭之武，以三寸不爛之舌將秦師給說退。此事，主公還記不記得？」

「你是說，派說客？」

「正是。」

「這主意不錯，列位大夫，誰願自告奮勇？事成之後，寡人封他做大官！」朝堂上死一般的沉默，沒人敢去冒險。

自從伍子胥挖了楚平王的墳，鞭屍三百，天下將其傳爲魔王。一說他的名字，小孩兒都不敢哭。何況當年伍子胥流落鄭國的時候，誰都沒給過他好臉色，現在去吳營當說客，豈不是自尋死路？

鄭獻公等了半天，沒半個人吱聲，不由失望透頂：「你們這群傢伙，寡人白養活你們了！關鍵時刻，一個都不頂用！」

子產似乎早就料到這個結果，又說：「主公息怒，大夫們害怕伍子胥，主公又何嘗不是如此？這也是人之常情，怨不得他們。」

鄭獻公急了：「你就別繞彎子了，到底有啥好辦法？快快道來！」

子產笑道：「大王，您還不明白嗎？當年燭之武也不過一個無名小吏，卻能一言退去數萬雄兵。我們沒有辦法，不代表鄭國所有人都沒有辦法。何不張貼佈告，重賞能退去吳兵的人？」

鄭獻公大喜，連忙派人張貼佈告：只要有人能讓吳軍退兵，寡人願與其分國而治。

重賞之下，必有勇夫。果然，不出三日，一個漁夫打扮的年輕人跑上門來，自稱能退去吳軍。

鄭獻公連忙召見了他，問：「先生當眞能退去吳兵？」

「當然。我不但能退去吳兵，而且無須一兵一卒。只要給我一支船槳，行歌道中，吳兵自然會聽話地離去。」

鄭獻公不信：「哇塞！鄭國的能人可眞多啊！當年燭之武以一言退秦師，你卻能以一槳退吳兵，眞是吹牛皮不打草稿。」說著，竟唱了起來：「別耍嘴啊……」

那年輕人也唱：「我耍嘴我就是個棒槌！」

話說到這個份兒上，鄭獻公也只好死馬當成活馬醫，交給他一支船槳，派守城士兵用竹筐將其垂下城去。

來到城下，年輕人回頭一笑，灑然而去。

守城士兵甲：「你說，他眞的能退去吳軍嗎？」

守城士兵乙：「不知道。」

守城士兵甲：「這到底是個什麼人啊？猜不透。」

守城士兵乙：「有兩種可能：一、他是個高人；二、他是個神經病。」

另一頭，吳軍營內。

伍子胥站在碉堡上，正拿著望遠鏡觀察敵情，突然看到一個年輕人大咧咧地來到營門口。正自奇怪，那人接著拿出一支船槳，一邊敲，一邊高聲唱道：「蘆中人，蘆中人，腰間寶劍七星文。不記渡江時，麥飯飽魚羹。」

頓時，無數往事劃過伍子胥的腦海，這個人，莫非是……

他衝下碉堡，喝開想要抓那人的兵士，驚問道：「足下何人？」

那人搖晃著船槳，慢悠悠地說：「將軍，沒看到我手裡拿的是什麼嗎？我就是當年在大江上渡你過河的那位漁丈人的兒子。」

果然！果然是我的大恩人的兒子！伍子胥不由惻然道：「你父親因我而死，有大恩於我，伍某人有仇必報，有恩必還。說吧！你需要些什麼？我一定想盡辦法幫你得到。」

那人回答：「我別無所求，只是聽說你要攻打鄭國，我國國君十分害怕，說：『誰能使吳國退兵，就與他分國而治。』我想到先父曾與你有一面之緣，所以冒昧前來請你幫忙，放鄭國一條生路。」

伍子胥歎道：「我得有今日，皆你父漁丈人所賜，蒼天爲證，怎麼敢忘記？」說完便下令全軍撤退，解圍而去。

報恩與報仇同樣重要。快意恩仇，眞是大丈夫！

吳軍退去，鄭獻公大喜，遂兌現自己的承諾，將上百里的土地封給了年輕的漁夫。這段佳話很快傳遍全國，國人皆尊敬地稱他為「漁大夫」。今天在新鄭市區東黃水河（古溱水）東岸人民路北側，有兩座墓塚東西並排在荒崗上，據說就是「漁丈人」和「漁大夫」的安息之所。

伍子胥回到楚國後，重新加緊謀劃對付隨國的反吳武裝力量。

一日，伯嚭終於忍不住問他道：「我始終想不通，你為什麼從鄭國退兵呢？這不是你的性格啊！」

伍子胥一笑，便將當年漁丈人渡江救他的事情原原本本地說了一遍。

伯嚭聽了，思索良久，說道：「不對啊！你這個事情有個天大的疑點，怎麼講都講不通！」

「疑點？」

「沒錯，聽你敘述，當年渡江之事，只有你和漁丈人兩個人知道。既然沒有告訴過任何人，且漁丈人已經死了，那他的兒子是怎麼曉得的？而且還能將其中的細節描述得如此清楚。莫非……那漁丈人沒有死？」

「不可能！我那時候在岸邊等了足足半個時辰，沒看到漁丈人從水裡出來，肯定溺死了，絕無生還可能。」

「這可就奇怪了，難道說是……是鬼？」

「鬼你個大頭鬼啦！反正我已經報了恩，至於報的是人是鬼，我不管！」

鏡頭再一轉，讓我們再看看鄭國的情形。

新貴「漁大夫」並沒有趕著去上任，而是偷偷地來到了淮河邊一座清幽的莊園內。適逢早春，淮河一帶剛下完西元前五〇五年的第一場雪，就連莊內從淮河引進的一條小溪，都結上一層厚厚的冰。溪邊坐著一個蓑衣少年，溪裡有鑿好的洞，他正拿著漁竿釣魚，一邊釣還一邊吟詩：

千山鳥飛絕，萬徑人蹤滅。

孤舟蓑笠翁，獨釣寒江雪。

好眼熟，此灰衣少年不是別人，正是幫伍子胥找到楚平王墓塚的江湖閑樂生。他怎麼會在這裡出現，而且還認識漁丈人的兒子？

漁大夫出場了，三步並作兩步衝到閑樂生面前，頓首拜道：「大師，您果然料事如神！原來您講的都是真的！您的大恩大德，小的沒齒不忘。」

江湖閑樂生仍專注釣著魚，頭也不抬道：「不要叫我大師，這對我是一種侮辱。」

漁大夫又拜：「對！對！您不是大師，您是神仙！十七年前我父親莫名其妙淹死，留下我和母親，受盡痛苦和磨難。幸好有您給我指點一條明路，讓我去找伍子胥，說有榮華富貴在等著我，果然一切都被您料中。如果您不是神仙，又怎麼會知道這些？」

閑樂生抬頭，笑著說：「錯！我並不是神仙。之所以知道這麼多，只因爲兩個字。這兩個字，在我們那個時代來講，眞是俗不可耐，但恐怕又不是你們這個時代的人能理解得了。」

漁大夫急問：「哎呀！是哪兩個字啊？說說看嘛！說不定我能明白。」

閑樂生沉吟道：「這兩個字，就是：穿——越！」

第7章

楚昭王的成長

成熟的政治家，必須要有廣闊的胸襟，讓更多的人團結在周圍。越是多事之秋，團結與穩定越是顯得重要，這就是楚昭王從不斷的失敗中學來的寶貴政治智慧。

1

英雄淚

秦哀公腦海中時刻迴響著申包胥沙啞的哀號。這是一個什麼樣的人哪！蓬頭垢面，雙腳淌血，滿身的堅忍執拗，滿面的苦大仇深，低頭血淚成河，抬頭長歌當哭。

當郢都城破、楚王奔隨，整個楚國一片風起雲湧的時候，夷陵山區（即三國時陸遜大敗劉備的夷陵之戰所在地）深處，卻躲著一個幾乎要被大家遺忘了的牛人——申包胥。

當年，伍子胥倉皇北顧，途遇好友申包胥，不但放了他一馬，更跟他說了一句「子能亡楚，吾能存楚」這樣響噹噹的誓言。現在，伍子胥已經報了仇，申包胥也是時候實現自己的諾言了。他一定要趕走吳兵，恢復楚國的大好河山！

於是，申包胥一面在夷陵山區組織游擊戰，一面給伍子胥寫了一封信，義正詞嚴地斥責他說：「你這樣報仇，豈不是太過分了一點？怎麼說你也曾當過楚平王的臣子，死者爲大，雖然他曾對不起你，也不能鞭打他的屍體呀！這樣眞是太不人道了！」

確實，在中國人的傳統觀念裡，一個人死了，一切仇怨便該一筆勾銷。伍子胥的行爲，在世人的眼中，的確離經叛道，無法接受。伍子胥接過信，沉默良久，雙目泛起淚光。老申，你罵我的每句話都對，可是我身不由己啊……

數日後，申包胥收到了伍子胥的回信，上面只有一句話：「吾日暮路遠，故倒行而逆施於道也。」

申包胥長歎了一口氣，伍子胥說得也沒錯，仇恨糾結到了這個地步，他也沒辦法控制自己，看來要勸他退兵是不可能了……罷罷罷！我乾脆衝出山去和吳國人拚了……不！不行，我披甲執刃赴強敵一死，伏屍流血，其作用也只不過是一兵一卒，還不如留得有用之身，去向諸侯搬兵來救。

這個世界上，唯一能救楚國的國家，是秦國。

申包胥立刻收拾包袱，背上乾糧出發。一路上峭山，赴深溪，游川水，犯津關，蹶沙石，晝夜西奔，鞋子跑壞了就光腳跑。腳後跟和腳底板都跑壞了，就撕破衣裳，包住傷處，止住鮮血，接著再跑。

歷經千辛萬苦，徒步長征近千里，他終於趕到了秦國雍城（今陝西鳳翔市），對楚昭王的舅舅秦哀公說：「吳國就像一隻貪吃的野豬，一條陰毒的長蛇，時時刻刻想著吞滅其他諸侯。我們大王不幸先遭到毒手，逃亡於草莽之間。他大舅啊！您快點去救救您那可憐的小外甥吧！吳國那群野蠻人貪得無厭，如果讓他們成了您的鄰國，秦國也會永無寧日的。」

秦國自秦穆公霸西陲以來，一百多年間只跟晉國打過幾個小仗，還大部分都輸了，從此君主們放棄了稱霸中原的理想，開始在關中這一片地方自得其樂，誰都不惹，過著幸福而平靜的小日子。現在突然跑來一個申包胥，要秦哀公幫楚國復國，這不是搞笑嗎？先別說秦國打不打得過吳國，就算打得過，又何必費盡心機為別人強出頭？這不是自找麻煩嗎？

秦哀公委婉地拒絕，說：「寡人明白您的意思了，您先到賓館休息，我們要商量一下再答覆。」

申包胥明白這是緩兵之計，堅決不肯離開，說：「寡君逃亡於草莽之間，還沒有得到安身的地方，下臣怎麼敢去休息呢？」說著，像鶴一樣單腿立在秦廷上（另一隻腳受傷了），哭了起來，一邊哭還一邊唱些不著調的楚辭，大抵是說楚昭王怎麼怎麼可憐，吳國怎麼怎麼可惡之類。

秦哀公派人勸了好幾次，老申就是不為所動。他揚起梨花帶雨的臉，抽泣著說：

「不！你們不答應救楚國，我就不回去。」

身爲一個大國領導人，秦哀公當然不會因爲幾句哭聲就改變國策。既然你這麼喜歡哭，那你就哭好了，寡人的朝堂就開放給你哭，讓你盡情表演，看你能堅持多久。寡人給自己和群臣們放幾天假，待在後宮裡過幾天悠閒日子，豈不是更美？

一天過去了。

兩天過去了。

三天過去了。

四天過去了。

五天過去了。

六天過去了。

七天，也過去了。

是的，整整七日七夜，整整一萬零八十分鐘，申包胥一個人單腿立在空蕩蕩的秦廷上，粒米未食，滴水未進，堅持不吃不喝，堅持不停哭泣。到底是什麼力量在支撐這個養尊處優的楚國大夫？這簡直就是奇蹟！

可以說，支持他的，不是榮華富貴，也不是高官厚祿，而是承諾、信念、使命，還有責任。

每每覺得自己快不行的時候，他便會想起很多人、很多事。他想起楚昭王，那個令自己又愛又恨的年輕君王，希望經過這次巨變後能成熟起來，不再受類似囊瓦這樣的奸臣擺佈。他還想起伍子胥，很多人說過他當年不該放過伍子胥，是啊！自己那時候要是殺了他，楚國或許就不會亡。但是，他從來沒有爲這件事情後悔過。楚國就像一個病入膏肓的病人，即使沒有伍子胥，也總有一天會亡的，早晚而已。讓事情早點爆發，驚醒大王與國人，也許還是件好事兒。

其實，伍子胥也沒有錯，他不過就是想爲父兄報仇嘛！雖然，因爲命運，我們各自選擇了不同的道路，但終究還是一生一世的好朋友。你報了仇，身爲好朋友，我爲你高興，但身爲楚國的臣子，我卻一定要打敗你。我要讓全天下人都知道，我申包胥一定能救得了楚國。不能救楚，就爲楚國而死。

正是因爲抱著必死之心，反而讓他爆發出無窮的求生力量，更讓他堅持，並一直堅持到最後一刻。

有時候，精神力量眞的可以超越人類的生理極限，強大到讓所有人都無法相信的地步。這種力量，被聖鬥士星矢稱之爲「燃燒的小宇宙」。

這些天，秦哀公過得並不如自己想像得那麼美，沒有心思批閱奏章，女樂也奏不歡快。他的腦海中時刻迴響著申包胥沙啞的哀號聲。

這是一個什麼樣的人哪！蓬頭垢面，雙腳淌血，滿身的堅忍執拗，滿面的苦大仇深，一低頭血淚成河，一抬頭長歌當哭。

亡國之痛眞的能將一個人折磨成這等模樣？他想不通。

七天後，秦哀公覺得自己這段長假也放得差不多了，再放下去，員工們的心都要收不回來了，那個申包胥即使沒走，也應該放棄了，於是招呼大家一起去上朝。

左右忙說：「主公不可，楚國來的那個申包胥還在朝堂上哭呢！你們去了也上不成朝！」

「什麼？還在哭！你們不要跟我說，申包胥那傢伙在寡人的朝堂上哭了整整七天七夜！」

「正是如此，他依於廷牆而哭，日夜不絕聲，勺飲不入口，七日矣。」

「天哪！這傢伙的生命力未免太頑強了！」秦哀公簡直不敢相信自己的耳朵，完全完全被申包胥的偉大精神感動了，「楚國有這等賢臣，吳國都想滅了它，我老秦家半個這樣的人都沒有，吳國豈不是更不會放過？」

不管是眞的被感動，還是基於利害的權衡，總之，秦哀公決定幫助楚國了。他甚至來不及繫好衣帽就帶著左右趕到朝堂上，遠遠便聽到申包胥在那兒扯著嗓子邊哭邊唱：「男人哭吧哭吧不是罪……」

哀公一個箭步衝到申包胥面前，說：「好了好了，寡人被你打敗了還不行嗎？別再哭了，再哭下去，你真的會死的！」

申包胥面如死灰，大把大把的眼淚鼻涕縱橫在漆黑得沒有一點血色的臉上，遮得五官都看不明晰了。他滿足地一笑，感覺支撐自己到現在的所有精神力量剎那崩潰，登時氣絕暈倒，不省人事。

秦哀公趕忙伸手扶住，用左手捧著他的頭，用右手親自給他灌水。

申包胥慢慢甦醒，嘴唇翕動，卻說不出話來。秦哀公飽含在眼眶中的淚水終於決堤，奔湧而出，逆流成河。他緊緊握住申包胥的手，高聲唱道：

豈曰無衣？與子同袍。王于興師，修我戈矛，與子同仇！

豈曰無衣？與子同澤。王于興師，修我矛戟，與子偕作！

豈曰無衣？與子同裳。王于興師，修我甲兵，與子偕行！

這首詩叫做《無衣》，選自《詩經．秦風》，翻譯過來就是：

誰說沒有衣裳？和你穿一件大衣。君王要起兵，修整好戈和矛，和你同仇敵愾！

誰說沒有衣裳？和你同穿一件內衣。君王要起兵，修整好矛和戟，和你共同做準備！誰說沒有衣裳？和你同穿一件下衣。君王要起兵，修整好鎧甲和兵器，和你共同上前線！

秦國群臣聽了君王的豪言壯語，群情激昂地跟著唱了起來，一遍又一遍，一遍又一遍。那一刻，他們的偉大祖先秦穆公與孟明視彷彿重新活了過來，一聲接著一聲地鞭策著他們：你們忘了崤之戰，三萬秦軍埋骨異鄉的事情了嗎？我們秦人個個都是黃土高坡上響噹噹的硬漢子，難道還會怕了他東海邊上的小小吳國？

七日七夜，申包胥只喝了一點兒水，身上軟綿綿的一點兒力氣都沒有，但聽到秦人山呼海嘯般的吶喊聲，再也忍不住內心澎湃的情緒，硬是掙扎著站起身來，朝秦哀公頓首九次，然後又一次昏過去。

「伍子胥鞭屍三百」與「申包胥長哭七日」，可以說是春秋末年最爲淒慘、最爲壯烈的兩篇樂章。對與錯、報仇與忠君、家仇與國恨、私情與公義，糾結在這兩個烈丈夫、好朋友之間，演繹出一段壯懷激烈的千古悲歌。它讓我們赫然發現，流淚，並不一定是弱者的表現。當伍子胥癱坐在楚平王的屍體旁落淚，當申包胥傲立在秦國的宮廷中長哭，強權在無數顆堅定的淚珠面前轟然崩塌。

誰說英雄只與刀光劍影相伴？當一切功名被覆蓋上數千年厚厚的塵土，孤獨而幽深的雙眼之中，也許只會留下一顆晶瑩剔透、閃閃發亮的——英雄淚。

2 反擊

大風慢慢停了，震天般的鼓譟聲響起，遠遠的地平線上，黑壓壓的全是戰車，看這架勢，恐怕有數萬之眾。夫概大驚，楚軍哪裡來的如此多戰車，難道是天兵天將？

陰潮的春天漸漸遠去，炎熱的夏季踏歌而來。

申包胥的心晴空萬里，好運似乎開始朝楚國人這邊傾斜。在秦國終於決定效法當年秦穆公三定晉君的偉業而出兵救楚的同時，遙遠南方的越國國君允常也像和他們預先商量好了一般乘虛而入，出兵襲擾吳國後方，給留守姑蘇的儲君太子波造成不小的麻煩。

當太子波爲了越國這個麻煩焦頭爛額的時候，這一年（西元前五〇五年）六月，吳國猛將夫概在沂邑（今河南正陽縣境）碰上一個更大的麻煩。

秦國的虎狼之師，終於到了！

戰車五百乘，兵力約三萬七千五百人（春秋軍制，一輛戰車配士卒七十五人），在申包胥的引領下，經商谷（今陝西商縣一帶）、襄陽（今湖北襄樊），南至荊門，與從隨國趕來的子西、子期率領的楚軍在稷地（今河南桐柏縣境）會師，並很快在沂邑與夫概的部分主力發生小規模的遭遇戰。隨即，兩軍在沂邑一帶擺開陣勢，大戰一觸即發。

夫概並不知道這夥楚軍的後面還有秦軍，根本沒把這支隊伍放在眼裡。打從進入楚境之後，數月來所向披靡，未曾一敗。對他而言，楚國的敗軍之將統統都是垃圾之中的垃圾，不堪一擊。唯一讓他心煩的，是這些楚國軍隊就好像打不死的小強，怎麼打都打不完，再這樣下去，何年何月才能回去重享郢都的風月？

另外一邊，秦帥公子子蒲正拿著望遠鏡，瞇眼望著遠方密密麻麻的吳國軍隊，對楚帥公子子期說：「我們不熟悉吳軍的戰法，你們跟他們打交道比較多，還是你們先上吧！先殺得敵人銳氣挫敗，我大秦軍再上，必獲大勝！」

子期暗罵了一聲滑頭，口中卻連連稱是。他明白，現在是自己求別人，而不是別人求自己，如今之計，也只有忍氣吞聲，一切以大局為重。

太陽升高了，雙方鼓聲震天，但天色昏黃，且有霧氣。夫概心頭忽然閃過一絲不祥，隨即擺了擺頭，想盡力揮去這種讓他不舒服的感覺。

雙方的鼓聲敲得更兇了，轉眼間，楚軍已經嘩啦一片地衝殺過來。管他呢！他娘的！當年二十萬楚軍我都不怕，還怕區區數千殘兵敗將？兄弟們，跟我上！

五千吳國勇士吶喊著衝入楚軍中，雙方緊緊咬在一起，廝殺開始。

打了沒多久，夫概就覺得不對勁了。這支楚軍戰鬥力並沒有他想像得那麼差，作戰十分兇猛，簡直可以和死鬼沈尹戌的變態部隊媲美。憑著吳軍中的王牌主力，居然只和對方打了旗鼓相當。

搞什麼，吃錯藥了嗎？想當初對付囊瓦二十萬楚兵的時候，他們不是這樣的啊！媽的！我夫概乃是吳國第一勇士，豈能被楚國人小覷？他於是一跺腳抽出寶劍，向背後吩咐：「所有親兵聽著，隨我一起衝陣！」

話音未落，三百親軍齊齊亮劍，跟在他後面，殺入敵陣。

戰場中央本在膠著，忽經此生力軍猛衝猛殺，楚軍逐漸抵擋不住，紛紛敗陣。

夫概長嘯一聲，身先士卒，寶劍過處，竟無一合之將。吳軍頓時士氣大振，吶喊著向敵人反攻，真正是以一當十，銳不可當。

楚國人，你們學著點，這才叫真正的軍隊！他收劍入鞘，負手傲然一笑，好像勝利已是囊中之物。

卻在這時，忽從北方刮起一陣狂風，戰場上天昏地暗，飛沙走石，日色無光，雙方都不能夠再進行作戰，只得暫時收兵。

鼓聲停了，吶喊停了，馬蹄聲也停止了，戰場上是死一般的寂靜，只有狂風呼嘯的聲音。夫概懊惱地頓足。哼！算楚國人走運，否則定要把你們一鍋燉了。

過了大約一頓飯的時間，大風漸小，慢慢停了。敵人卻並沒有如夫概預想的一樣跑個精光。震天般的鼓譟聲響起，遠遠的地平線上，黑壓壓的全是戰車，看這架勢，恐怕有數萬之衆。

夫概大驚，楚軍哪裡來的如此多戰車，難道是天兵天將？再一看，對面戰車的旗幟、帽子顏色與楚兵不同。

正在狐疑，一前哨向他飛奔而來，口中高呼：「秦國兵來了，將軍速避！」

夫概的腦袋頓時一片空白，秦國兵？搞什麼東東，怎麼會有秦國兵？他們是從哪裡冒出來的？我怎麼一點不知道！

此時，吳軍這邊已被秦國的戰車衝上來分割成多處，到處都發生混戰。夫概一時猶豫起來，我到底是該拚死跟他們幹，還是暫且撤退？

這一猶豫可不得了，他引以爲傲的子弟兵們竟然抵擋不住，開始潰退了，不管他怎麼喝止都無法挽回頹勢。一個親將帶著幾十名親軍且戰且退，來到夫概身邊，急聲道：「秦軍勢大，將軍速走！」

夫概不甘心，歇斯底里地大喊：「怕什麼？怕什麼？當初二十萬楚軍咱們都照衝不誤，如今數萬秦軍就怕了嗎？」

沒有人理他，大家都在爭著逃命，五千精銳刹那間變成了逃荒的難民，眨眼間跑了個精光，最後留在夫概身邊的，只有一百多名最爲忠心的親信。

數千名秦軍潮水般衝了上來，將他們團團圍住，口中高喊著：「活捉敵將！不要放跑了！」

夫概長歎：「完了！我的一世英名毀於一旦。兄弟們，隨我突圍吧！」

一聽這話，一百多名吳軍勇士登時爆發出無與倫比的求生慾望，拚死衝向敵人，砍殺不已。秦軍從來沒有見過這般壯烈的情景，無不驚駭。

夫概眼見著與自己出生入死的兄弟們一一倒在血泊之中，悲慟之極，仰天長號，小宇宙大爆發，瘋了一般闖進目瞪口呆的秦兵陣之中，帶著一身傷痕，孤身突圍而出。

也不知過了多久，下弦月從厚厚的雲層中蹦了出來，照著河兩岸的戰場，也照亮了三三兩兩吳軍潰逃的路……

五千吳軍精銳在楚國北部遭到秦楚聯軍的重創，兵力折損大半，殘部在夫概的牽領下竟一口氣撒丫子撤回吳國老家。這隻從前最兇猛的老虎，此時完全退化成了一隻可憐的Hello Kitty。

這就有點弄不懂了，猛將兄夫概曾經用五千兵衝囊瓦的二十萬楚軍，區區三萬多秦軍怎麼就把他們打得屁滾尿流了？

其實，答案很簡單：

一、士氣

吳軍初入楚境時，捨舟登陸，長驅數百里，連戰連捷，銳不可當，其士氣比之草包囊瓦率領的楚軍，差別可不是一丁點兒。

現在，吳軍在楚國這片肥沃的土地上腐敗了半年多，銳氣都消磨沒了。再加上楚軍哀兵必勝，秦軍又爲申包胥的忠勇所感，此消彼長之下，五千吳軍當然不會是數倍於自己的秦楚聯軍的對手。

二、地形

當初柏舉之戰發生的地點，是吳頭楚尾的丘陵地帶，正是步兵最能發揮其機動性優勢的地方。如今，吳軍卻是和秦楚聯軍在河南平原上交戰。這樣一來，秦國的大規模戰車集團善於衝鋒的優勢就顯現出來了。

不管怎麼說，春秋時期，兵車才是平原地區最爲強大的戰爭機器。

三、指揮者

柏舉之戰中，吳軍的實際軍事指揮者是兵家聖祖孫武。無論從戰局的總體把握，還是實際的戰略戰術，楚軍領導人草包囊瓦都不能比。這就好似一個街頭混混與世界拳王比賽拳擊，誰勝誰負，傻瓜都猜得出來。

現在，秦楚聯軍的指揮者是久經戰陣的秦將子蒲，以及保護著楚昭王數次脫離險境的牛人楚將子期，吳軍的指揮者卻是勇猛有餘而智謀稍嫌不足的夫概，只一交手，高下立判。

接下來，人在隨國的楚國抵抗組織也在子西的領導下發動大規模的戰略反攻，伍子胥的助手伯嚭貿然出擊，結果在軍祥（今湖北隨縣西南）這個地方被沈諸梁（沈尹戌之子，後被封在葉地，又稱葉公，也就是成語「葉公好龍」裡面的葉公）和薳延左右夾擊，眼看就要全軍覆沒，幸賴援軍適時趕到，才將他救了出來。

命運啊！伍子胥要是這次沒救到白眼狼伯嚭，日後的結局，也許不至於那麼悲慘。

3 風水輪流轉

吳軍大敗，又被楚軍火燒連營，只得敗走。秦楚聯軍又乘勝趕上，一通海扁，吳軍損失慘重。同柏舉之戰一樣，楚復國之戰也屬於「連續作戰」的一個經典戰例。

戰局，開始朝秦楚聯軍這邊倒。

是年七月，楚將子西、子期、薳延、沈諸梁和秦將子蒲、子虎等各路好漢，奏著凱歌，從各個方向直逼吳軍大本營郢都。吳王闔閭這時候也豁出去了，命全部吳軍主力分屯各路要塞，與秦楚聯軍針鋒相對，準備來個正面對決。

闔閭想來個正面對決，秦楚聯軍的最高統帥子期和子蒲卻不著急動手。他們一面與其對峙，暗地裡卻分兵繞道，偷偷地襲滅了吳國的盟國之一唐國。

剛發了筆小財的唐成公還沒享受夠就兵敗身亡了，蔡哀公聽到這個消息，嚇得魂不附體，趕忙倒戈投降了老主子楚國。這可好，吳軍後方兩個重要據點算是沒了。

至此，三萬海軍陸戰隊不但傷亡過半，而且變成了一支身陷楚境的孤軍。形勢對闔閭越來越不利了，可是上天似乎還嫌他老兄的頭不夠痛。是年九月，猛將兄夫概見自己的老哥在楚國越混越差，竟於吳國自立爲王，一面派兵阻遏闔閭歸路，一面勾結越國，準備夾擊留守姑蘇城的太子波。

這都是闔閭自己釀的苦果。當初他不也是弒了堂弟王僚，自立爲王的嗎？夫概這叫有樣學樣。消息傳到楚國，吳王闔閭大驚，趕忙率軍回國平叛。好傢伙！這還得了？可別楚國沒撈著，自己老家反被人端了。

夫概正等著和越軍一起夾攻姑蘇，結果越軍沒等來，等來了回國拚命的闔閭。這下可好，夾攻別人不成，倒先被闔閭和太子波給夾攻，沒兩下便大敗，無奈地逃奔自己的敵人楚昭王。

昭王現在正是缺人手的時候，一見曾擊潰二十萬大軍的猛將兄來了，大喜，遂不計前嫌將其封在棠溪（今河南遂平縣西北），是爲棠溪氏（後世吳姓的一支）。夫概從此開開心心地做起了昔日死敵楚國的臣子。

吳王闔閭回國平叛的當口，伍子胥和伯嚭依然賴在楚國。他們不甘心，總覺得還有反敗爲勝的機會。不久，伍子胥率領吳軍在雍澨一戰擊敗了楚軍，可還沒等他開心夠，秦國的援兵一到，又奪回了勝利的果實，吳軍大敗，退紮麋地（今湖北鄖縣、岳陽一帶），又被楚軍火燒連營，只得敗走公婿之溪（今湖北襄樊市東）。秦楚聯軍又乘勝趕上，一通海扁，吳軍損失慘重。

大家發現了沒有？同柏舉之戰一樣，楚復國之戰也屬於「連續作戰」的一個經典戰例。不同的是，這回輪到吳軍被人追在屁股後面狠揍了。

說起來，秦國人還眞是挺厚道的。當初秦穆公三定晉君，從而幫助晉國獲得數百年的霸局，如今又換成秦哀公大義助楚，趕走吳國侵略者，恢復了楚國的社稷。數百年後，秦國人終於盡得六國之地，建立了偉大的秦帝國，完成了中國大一統，大概可以算作另類的好人有好報。

事情到了這個地步，伍子胥明白楚國的局勢已不可挽回，只好率軍退回吳國，並安慰自己說：「自群雄爭霸以來，人臣報君者，我也算做到極點，該滿足了。」

回首往事，郢都的歲月猶如大夢。

帶著大批在楚國搶來的金銀財寶和百姓子女，也帶著數不盡的榮耀與遺憾，吳軍回到了闊別一年之久的吳國，留給楚昭王一個空蕩蕩、慘兮兮的劫難之城。

至此，吳楚之間的恩恩怨怨，算是告了一個段落。

4 郢復

成熟的政治家，必須要有廣闊的胸襟，讓更多的人團結在周圍。越是多事之秋，團結與穩定越是顯得重要，這就是楚昭王從不斷的失敗中學來的寶貴政治智慧。

飽經劫難的楚昭王，回到了飽經創傷的郢都。

一眼望去，但見故都殘破，滿目瘡痍，他不覺淒然淚下：「宗廟被毀，社稷遭難，百姓受苦，此均寡人之罪，寡人之罪呀！」

群臣們陪著昭王一起哭，有個叫扈子的樂師甚至還邊哭邊彈，唱起一首自創曲來：

王耶王耶何乖烈，不顧宗廟聽讒孽，任用無忌多所殺，誅夷伯氏族幾滅。

二子東奔適吳越，吳王哀痛助忉怛，垂涕舉兵將西伐，伍胥、伯嚭、孫武決。

三戰破郢王奔發，留兵縱騎虜荊闕，楚荊骸骨遭發掘，鞭辱腐屍恥難雪！

幾危宗廟社稷滅，嚴王何罪國幾絕。卿士悽愴民惻悷，吳軍雖去怖不歇。

願王更隱撫忠節，勿為讒口能謗褻。

是的，哭，解決不了任何問題。楚昭王現在的首要任務，就是化悲憤爲力量，收拾民心，重建家園。

說得簡單，具體怎麼實施呢？楚昭王學習了當年晉文公重耳歸國後的寶貴經驗。

一、論功行賞

當時得到獎賞的，有王孫由於、王孫圉、王孫賈、鍾建、斗辛、斗巢、斗懷、申包胥、宋木等九人。

王孫由於自不必說，要不是他擋住那一戈，昭王早就去地底下見他老爸楚平王了。斗辛、斗巢、鍾建等人也不必說，逃亡期間，他們保駕護航，不離不棄，申包胥更是七日哭秦廷，感天動地。至於這個斗懷，楚昭王選擇不計前嫌，給他和老哥一樣的獎賞，並說：「大德滅小怨，道也。他們一個對君王有禮，一個對父親有禮，寡人同樣對待他們，宜哉！」

另外，當年奔隨渡臼水（又名白成河，在京山、鍾祥一帶）時，楚大夫藍尹亹只顧自己逃命，不把船給昭王用，按道理，應該被處死才對，可是昭王赦免了他，對他說：「我不懲罰你，是爲了用這件事來記住以往的過失。」

大家看，這種行爲，像不像當年晉文公重耳歸國後，透過對待頭須和履鞮所表現的寬宏大量？

一個成熟的政治家，必須要有廣闊的胸襟，讓更多的人團結在自己周圍。越是多事之秋，團結與穩定越是顯得重要，這就是楚昭王從不斷的失敗中學來的寶貴政治智慧。

相較之下，伍子胥這樣有仇必報、眼睛裡容不得一粒沙子的人，註定只能當一個毀滅者、一個孤獨的英雄。政治其實是虛僞而陰暗的東西，他玩不來，若是非要玩，只能玩火自焚。

斗氏兄弟和王孫由於等人站對了隊伍，升官的升官，發財的發財，自然皆大歡喜。立了最大功的申包胥卻學起了當年爲晉文公割股啖君的介之推，死活不要楚昭王的賞賜，說：「我作秦廷之哭，是爲了楚國，不是爲了自己。如今國家安定了，要那區區賞賜做什麼？再說，我雖盡了對大王的臣子之忠，卻違背了對伍子胥的朋友之義，再爲一己之私接受賞賜，一來對不起伍子胥，二來也對不起良心。」於是逃入深山之中，隱居起來，終生不出。

申包胥的所作所爲，眞當得上「忠肝義膽」四字。如此高的覺悟，幾乎已是聖賢了。試問當今之世，可找得到半個這樣的人？

另外，吳人入郢時，為楚國保存了《雞歡之典》（楚國法律大典）的蒙谷，以及隨從和保護楚昭王有功的屠羊說，也拒受獎賞。前者「自棄於磨山之中」（《戰國策·楚策一》），後者返其「屠羊之肆」（《莊子·讓王》），成為春秋歷史上的佳話。君一個勁地要賞，臣一個勁地要辭，個個覺悟都這麼高，楚國在春秋末年能夠復興，絕非偶然。

二、重修法治

楚雖復國，可五官（古代五種重要官職之統稱）失法，社會動盪。幸好蒙谷及時獻上《雞歡之典》，使五官得法，百姓大治，社會日趨穩定。這一切，蒙先生居功至偉，眞是為楚國幹了一件大好事。

三、遷都

吳國雖然已經退兵，但這國家強大而好戰，對楚國而言，始終是一個巨大的威脅。楚昭王和大臣們經過一番商量，決定把都城遷到離吳較遠的鄀城（今湖北宜城東南），名曰新郢，以便休養生息，重整國力。

遷都雖是無奈之舉，卻也不失為明智之舉。鄀城離江較遠，可以避免吳國強大水軍的威脅，又臨漢水，便於交通，發展生產。又西鄰荊山，北接南陽盆地，進可取，退可守，而其時與秦盟好，與晉關係亦趨緩和，這一環境，正可讓楚國安心發展，不懼外敵。

經過數年的整頓恢復，楚國的情況日漸好轉，開始秋後算帳，教訓那些曾在遭難時落井下石的屬國。

西元前四九六年（楚昭王二十年）春，楚國滅頓（今河南項城）。西元前四九五年，出兵滅胡（今安徽阜陽）。西元前四九四年春，又對當年引吳侵楚的罪魁禍首蔡國進行大規模報復行動，蔡昭侯不是對手，只得再投降。

西元前四九一年，楚昭王將都城遷回故郢。至此，楚國又以強勁的姿態，重新步入春秋大國之列。

楚國在遭受了巨大的創傷之後，不但沒有一蹶不振，反而凝聚了寶貴的危機意識和空前的團結，從而得以重返爭霸行列。楚昭王不失爲楚國歷史上最有貢獻的君主之一。孔子說：「楚昭王知大道矣。其不失國，宜哉！」

這段歷史也告訴我們，只有經歷苦難，才能更加成熟與強大。世界上所有偉大的民族，莫不如是。

楚昭王和大聖人孔子之間，還有一段淵源。

據說當年流落在外的時候，某個正月十五日，楚昭王經過長江，見江面有漂浮物，是一種外白內紅圓乎乎的甜美食物，可大家都不知道是什麼玩意兒。

楚昭王聽說孔子學問很好，就派人去請教。孔子說：「此浮萍果也，得之主復興之兆。」後來楚昭王果然復了國，對孔子佩服得一塌糊塗。

再後來，孔子在魯國混不下去，開始周遊列國，四處求官，結果是姥姥不疼、舅舅不愛，還被困在陳蔡之地，沒吃沒喝，差點變成叫花子，多虧楚昭王想起舊事，派使者把他們師徒接了過來，還要封他做大官。

可是，孔子的運也眞夠衰的，眼看就要夢想成眞，楚令尹公子子西卻阻止說：「孔子有一幫極其牛逼的徒弟，若是封他做大官，您就不怕他們師徒在楚國作亂？再說，孔子鼓吹的是君君臣臣、父父子子那一套，只認周天子是王，可不承認咱們楚國的王是王，這樣的危險人物，大王絕對不能要。」

昭王一聽，也是這麼一個理，便打消了重用孔子的想法。

這一來，孔子的政治理想就算徹底玩完兒了，心灰意冷之下，只好回到魯國，修書傳道，老老實實地當起了他的至聖先師。

第8章

攻越

數百名罪犯倒在吳軍士兵眼前，大風將濃重的血腥味吹散開，所有人瞠目結舌。死人誰沒看過？可是數百個人在眼前「集體自殺」這樣的震撼情景，誰曾看到過？

1 夫差登場

吳王闔閭萬萬沒有想到，自己為兒子選了一個如花似玉的嬌妻，竟會造成如此悲慘的結局，金玉良緣最終變成孽緣。悲傷之餘，只得考慮重新選擇繼承人……

楚國的事情算是告一個段落了，咱們回過頭來說吳國。

話說伍子胥率軍回到吳國，吳王闔閭十分高興，親自出城迎接，並事先從太湖裡弄來一條大鱸魚，親自操刀剖魚腹、去內臟、刮魚鱗、切成生魚片（喻示伍子胥手刃仇人），以犒勞大功臣。

沒想到，天公不作美，這一天天氣很熱，大軍又回來晚了，生魚片發了臭，可奇怪的是，味道依然鮮美。闔閭與伍子胥等人一吃之下，大爲讚賞。

闔閭就此愛上了這道菜，以後經常叫廚師做。慢慢地，生魚片這道名菜就在吳地流傳開來。

生魚片這個東西，大家一直以來的印象，都認爲是日本人發明的，其實，中國人才是老祖宗。

據說東漢時，廣陵太守陳登就很愛吃生魚片，甚至因爲過量食用而患上腸道傳染病及寄生蟲一類重病，後經名醫華佗醫治才康復。但他之後仍然繼續吃生魚片，終因爲貪吃而死。了不起！生魚片眞有一種讓人欲罷不能的魔力。

後來到了西晉，又出了個吳郡人張翰，愛這道菜愛到發狂，爲了它，連官都不願做，毅然辭去了大司馬東曹椽（相當於現在國務院秘書長兼高級顧問）的顯職而歸隱家鄉。這就是「蓴鱸之思」典故的出處。

中國人對吃的熱情，任何國家都比不上，對吃的鑽研同樣也沒有哪個國家可比，簡直可用「精益求精」四個字來形容。

南北朝時，吳地人又發明了一道製作極其繁複的名菜，叫做「金齏玉鱠」，用細切的鮮鱸魚和菰菜攔加調料曬製而成，鱸魚鮮白如玉，菰菜嫩黃如金，因而得名。「金齏」就是這道菜所用的特殊調料，以蒜、薑、橘、白梅、熟栗黃、粳米飯、鹽、醬八種料製成——是不是比「沙西米」高級多了？

「金齏玉鱠」天下聞名。隋朝時，隋煬帝到江都，吳郡人獻上這盤名菜，煬帝便說：「所謂金齏玉鱠，東南佳味也。」

唐朝更是食用生魚片的高峰期，有不少詩詞反映魚鱠的流行程度。比如大詩人李白就寫過一首著名的《秋下荊門》：「霜落荊門江樹空，布帆無恙掛秋風。此行不為鱸魚鱠，自愛名山入剡中。」

這個時期，也正是中日交流最爲頻繁的時期，生魚片因此傳到了日本，成爲日本人最喜愛的一道菜。今日，吃這道菜的時候，又有幾人能想到創始人吳王闔閭呢？

對於這場持續近一年的侵楚戰爭，吳王闔閭還是比較滿意的。雖然沒有徹底滅掉楚國，但大傷楚國元氣，想來在很長一段時間內，這國家都沒辦法跟自己叫板了。另外，從前唯楚馬首是瞻的江淮小國，也大多投靠了自己，這還不包括吳軍從郢都搶來的大批財富和百姓。

總之，通過這場戰爭，吳國撈到了足夠多的好處。

這些好處，讓國力大增。現在的吳王闔閭，聲望如日中天，儼然江南霸主，標準的春風得意。他於是將姑蘇城的閶門改名爲「破楚門」，又封伍子胥爲相國，伯嚭爲太宰，並開始打北邊兒齊國的主意。

齊國也算是一個東方大國，在山東一帶極有勢力，但這時候的國君齊景公已經老了，再也沒有了年輕時的雄心壯志，再加上名臣晏子已死，國內的陳氏一族又權傾朝野，頗有點想取齊代之的意思。這個當口，齊景公可不敢捋吳國的虎鬚，闔閭一發兵，他就嚇得變成了一個軟蛋，趕緊求和，並將齊國第一美女、自己心愛的小女兒少姜送去，想跟吳王結親交好。

齊國也是個出美女的地方。當年衛宣公的老婆宣姜、齊襄公的情人文姜、晉文公的老婆齊姜，都是春秋時期數一數二的美女。如今這個少姜也不遑多讓，年紀雖小，但出落得天姿國色，不知讓天下多少男人流光了口水。

齊景公十分疼愛這個女兒，總想著要她多陪老爸幾年，等年歲到了再許配一個如意郎君。可是現在形勢危急，他也顧不了那麼多了，只好忍痛割愛，流著眼淚讓大夫鮑牧將這塊心頭肉送去吳國。不管怎麼說，社稷比女兒更重要。女兒啊！妳就爲了咱們齊國犧牲一回吧！

少姜到了吳國，引起一番轟動。姑蘇也算是個出美女的地方，但大家拿自己的老婆一比，都覺得自慚形穢。

如果吳王闔閭跟楚平王一樣淫，說不定也會來個老牛吃嫩草，不過他在這方面還算是個厚道人，將少姜許配給了太子波。這兩人年紀相仿，郎才女貌，倒也是天生一對。讀到這裡，大家一定以爲，接下來又是「王子與公主從此幸福地生活在一起」的老套路，對吧？

錯！

太子波確實是個多情的王子，可惜年幼懵懂的少姜卻沒有王昭君的覺悟，既不懂得「和親」的道理，也不懂得愛情的美妙，成婚之後，對這個遠在千里之外的異國他鄉十分感冒，成日裡哭泣不止。思念故土、父親，再加上水土不服，沒多久竟染上重病。儘管太子波再三撫慰，又延醫診治，卻是一點用都沒有。

美人傷心，多情的太子波更是痛苦。為了心愛的小媳婦早日康復，奏請父王改造北門城樓，在上面建了一座美輪美奐的高台，取名為「望齊門」，以供少姜遊玩。可少姜登上望齊門，憑欄北望，看不到故國的一點影子，悲哀越甚，導致病情一天天加重，不久就去世了。

彌留之際，她哭著對看守在旁邊、日夜不離的太子波說：「妾聞虞山之巔可見東海，乞葬我於此。倘魂魄有知，庶幾一望齊國也。」

太子波痛不欲生，依愛妻遺願將其安葬在虞山之頂（今虞山頂可見齊女墓，望海亭）。過了沒多久，他也因過度思念愛妻，抑鬱而死。

沒話說了，好一對癡男怨女！

吳王闔閭萬萬沒有想到，自己為兒子選了一個如花似玉的嬌妻，竟然會造成如此悲慘的結局。原本看好的金玉良緣，最終卻變成孽緣。悲傷之餘，他也只得考慮在諸公子中重新選擇一個繼承人。

正在拿不定主意的時候，一天夜晚，太子波的弟弟夫差找到了說話極有分量的伍子胥，說：「大王正在考慮立太子的事，我長得這麼帥，捨我其誰呢？相國，您去幫我說說吧！大王肯定聽您的！」

關於太子波與夫差的關係，各種史料各執一詞，難以判斷。但《吳氏家譜》以太子波和夫差爲兄弟，似乎可信。

伍子胥一看，夫差果然長得玉樹臨風，跟自己一樣是個帥哥，而且說話如此直接，簡直跟我是一個脾氣。這個年輕人，我喜歡！於是點頭應允：「放心，包在我身上！」

大家想必已經領教很多次了，伍子胥看人一向不準。

沒多久，闔閭果然召見了伍子胥，和他商量立太子的事情。伍子胥便說：「夫差這個年輕人不錯，我看好他。」

闔閭卻不贊同，沉吟著說：「夫差智商不高啊！當吳國未來國君，恐怕不合適。」

伍子胥說：「這個小夥子腦袋雖然不太靈光，但人品好。再說太子波去世，讓他弟弟頂上，不正合乎禮法嗎？」

闔閭心想，夫差人品好，我怎看不出來？我倒覺得他婦人心性，孩子心腸，恐怕成不了什麼大事。不過，伍子胥乃是吳國重臣，他的建議也不可不聽。罷了罷了！就立了這小子吧！他平日裡也挺孝順的，好像沒幹過啥出格的事情。

「好，那就按照相國的意思辦。」

就這樣，在伍子胥的幫助下，夫差當上了新任太子。伍子胥後半生的大冤家，從此在這一段復仇的歷史中正式登場。

2 且說越國

死士們早被句踐洗腦，每一個都認為能為大王而死是一件非常光榮的事情，聽到鼓聲，個個奮勇上前。等到死了大概有一百多人了，句踐才滿意地讓他們退回來。

選定了太子，闔閭覺得自己爲革命工作辛苦了半輩子，也該享享清福了，於是派夫差長期駐守江淮之地，以防備北方，自己則在吳國大造宮室，先後在安陽裡修造了射台，在平昌裡興建了華池，在長樂裡蓋起了南城宮，又在姑蘇山上築了一座高台，名曰姑蘇台。

他秋冬在姑蘇城內處理政事，到了夏天，就去這些地方避暑遊玩，經常是早晨在紐山吃飯，白天在姑蘇山踏青，或在鷗陂射箭，或在遊台跑馬，或在樂石城擁姬彈琴，或在長洲苑縱犬射獵，快樂似神仙。

花花世界，永遠讓人沉醉。何況闔閭打了這麼多年的仗，眞該好好休息了。

不止是他，吳國也需要休養生息。再強大的國家，也經受不住連年的戰爭。而這一休息，就是整整十年，從西元前五〇五年直到西元前四九六年。這十年間，西破強楚、北威齊晉的吳國無人敢惹，闔閭的人生之路達到最頂峰。

然而，有句話說得好，叫做「爬得越高，摔得越狠」。一個人爬到最高峰的時候，也是最危險、最有可能摔下來的時候。

吳王闔閭志得意滿後，變得有些自負毛躁。恰好這個時候，越王允常去世，其子句踐繼位。闔閭靜極思動，想起當年越國曾在自己背後捅過一刀，端的是可惡得緊，便想趁著此機會攻打，教訓句踐這個小毛孩一頓。

確實，十年不動刀兵，闔閭和吳國勇士們的手都有點癢了。吳國人是天生的戰士，即使安定平和地生活，也需要一點鮮血的刺激。

伍子胥卻認爲此舉不妥，說：「越國的國君剛死，士人百姓都很悲痛，所謂哀兵必勝。這個時候去攻打，恐怕討不了好，不如過段時間再揍他們。」

闔閭不聽。什麼哀兵必勝？咱們吳國軍隊天下無敵，管他哀兵樂兵，照揍不誤！你不同意算了，寡人自己去！

他決定留下伍子胥看守老家，自己御駕親征，帶著三萬吳軍，烏呀呀地直朝越國殺奔而去。

越國這個地方，在今天浙江省一帶，古稱於越。

越國人和吳國人其實是同族，都屬於百越族，衣（麻、葛）、食（稻米、魚類）、住（杆欄式建築）、行（舟楫）、文字（鳥篆）、語言（鳥語）、文化（斷髮紋身，崇拜鳥）都十分相近。只不過因爲地域的關係，吳國更接近中原，更早接觸中原文明，再加上統治階層也來自中原，所以更開化一些。

至於越國，從上到下都是土生土長的野蠻人，喜歡鑿齒（錘掉門牙）錐髻（類似日本武士的朝天辮）、契臂爲盟（劃破手臂拜把子）、踞箕而坐（兩腿分開呈八字形坐，按照中原人的看法，這種坐法十分不雅，因為春秋時代不論男女都是上裳下裙，這麼坐，裙下風光豈不全被人看到了？真是有夠涼快）、乃至喜生食、善野音（山歌）、重巫鬼。

《史記．越王句踐世家》說句踐的祖先來自治水先驅大禹同志，所以也是打中原來的，不過我看恐怕得打個問號。

沒錯，越國的首任國君，確實是大禹的第六代子孫「少康」封在會稽的庶子「無餘」，主要任務是奉守會稽山上禹王廟的祭祀（大禹於會稽山召聚諸侯萬邦開會時病死，就埋葬在了那裡，其子夏啟因而修建了禹王廟以祭祀老爸）。但是據《吳越春秋》載，無餘的王位傳了十多代後就衰弱了，最後無力執政，淪落為平民，越國的百姓便重新推舉了一個叫無壬的人來擔任國君。

據說無壬生下來就會說話，而且說出來的話「唧唧咕咕」，就像鳥叫一樣（果然是鳥語），老百姓都很崇拜他，所以才將他民選為國君。越王允常和越王句踐就是無壬的後代。

如此看來，大禹真正的後人，早就不知跑到啥地方去了。當然，為了維持自己地位的合法性，無壬和他的後代們仍然自稱是大禹之後，並繼續主持祭祀工作，儘管他們其實和大禹一點血緣關係都沒有，乃正宗百越土著出身。

好啦！粗略地介紹完越國，咱們再來說一下越王句踐。

正所謂「英雄不問出路，流氓不看歲數」，句踐這小夥子年紀雖輕，但城府深不可測，從小就心機很重，喜歡豢養死士、玩弄陰謀詭計、結交各方面的人才。這種人，天生是玩政治的料，敬告各位看官，您要是遇到，千萬要離他遠一點，要是不小心當了他的手下，一定要小小心心做人，戰戰兢兢做事，否則肯定死得很難看。要是萬一命苦當了他的敵人，對不起，結局更不是一般的慘。

句踐喜歡結交各方面的人才，所以手下頗有幾位能人異士，這些人來自四面八方，在日後的吳越爭霸中有十分出彩的表演。這裡，先簡要地介紹一下。

第一號人物和第二號人物，分別是文種和范蠡。

文種是句踐的相國，作用相當於伍子胥之於闔閭。范蠡則是句踐的參謀長，或者說軍師，其作用相當於孫武之於闔閭。

這兩個人本為楚國人，文種是宛地（今河南南陽）的縣令，范蠡則是宛地出了名的神經病，人稱「范瘋子」，不過他的病是間歇性的，常常一陣清醒，一陣發作，還老是說一些常人聽不懂的怪話，大家簡直沒辦法跟他交流。

其實，天才與瘋子往往只有一線之隔，所謂「夏蟲不可語冰」，世間的這些俗人就好像是「夏蟲」，范蠡非要跟他們討論「冰」是什麼東西，當然會被「夏蟲」們當成是神經病，或者說狂生。

後來文種來到宛地做官，聽說了「范瘋子」的美名，對此人非常感興趣，便想去拜訪一下。文種的手下說：「范蠡是個瘋子，我們正準備把他抓到精神病院去呢！大人您去看他做什麼？小心他咬您！」

文種笑道：「一個人有與眾不同的行為，凡人必笑他胡鬧。他有高明獨特的見解，庸人自必罵他糊塗。你們又怎能明白范先生呢？依我多年的經驗，這個人肯定不簡單。」堅持親自去拜訪。

范蠡起先避而不見，但料到文種必定去而復來，於是向兄長借了衣冠，穿戴整齊。果然過了幾個時辰，文種又來了。兩人相見之後，長談王霸之道，投機之極，當眞是相見恨晚。

二人都覺中原諸國暮氣沉沉，楚國邦大而亂，奸臣滿朝，眼前霸兆是在東南。文種因此辭去官位，與范蠡同往吳國。可其時吳王闔閭正重用伍子胥的種種興革措施，兩人自量未必勝得過，一商量，以越國和吳國鄰近，風俗相似，雖然地域較小，也可一顯身手，再投奔越國。

句踐接見之下，封二人爲大夫，以文種處理朝廷的事務，范蠡管理外面的事情。如此，文、范兩人分工合作，同心同德，一個主外，一個主內，把個小小的越國治理得井井有條，日漸強盛。

第三號人物叫計然。他是越國的太史，也是范蠡的師傅，相傳曾受業於老子，可說是一個傳奇人物，在很多古籍中都有記載。

據說此人是蔡丘濮上（今河南蘭考、民權縣間）人，姓辛，字文子，早先是晉國流亡的貴族，所以又稱「晉三公子」。傳說他博學多才，天文地理無所不通，尤善計算，有鬼神莫測之機。但是這麼一個神人，長得卻跟「傻根」似的，傻傻的、呆呆的，正應了人們常說的那句——大智若愚。

計然從小非常好學，通覽群書，各方面學問都是一流中的一流，乃春秋時期著名的哲學家、科學家、農學家、文學家、經濟學家、心理學家，並且和孔子、孟子等人同屬「子」級別，世稱「文子」。其代表作品有道家經典《文子》，農家經典《范子計然》（其實是一本很有借鑑意義的經濟學著作），雜家著作《萬物錄》等。

計然因爲品行剛直，酷愛山水，常泛舟出遊，不肯主動遊說，自薦於諸侯，所以儘管才冠當世，卻不爲天下人知。也因爲他經常遨遊山海湖澤，因此又號稱漁父。他曾經在南遊到越國的時候，收范蠡爲徒。范蠡將他推薦給越王。他雖然賣徒弟面子，卻提醒范蠡說：越王爲人，長頸鳥喙，可與共患難，不可與共榮樂。按相術，「鳥喙」主狡詐，無情義。

事實證明，計然不但學問淵博，看相的本事也是一流，可惜伍子胥沒有這麼一位好老師指點，要不然結局可能不會那麼悲慘。不過，就算眞有，估計也聽不進去，他和范蠡是完全不是一類人，一個是理想主義者，另一個是現實主義者。伍子胥性眞情摯，永遠不知道妥協和退讓，范蠡則明哲老練，深知進退保身之道。

另外，計然什麼都懂一些，其實是個雜家，但因爲《文子》這本道家經典太出名，故後世大多把他歸爲道家始祖之一。

唐玄宗於天寶元年（西元七四二年）詔封計然爲通玄眞人，是爲道家四大眞人（即南華真人、沖虛真人、通玄真人、洞靈真人）之一，並尊《文子》一書爲《通玄眞經》，奉入道教「四子」眞經之列。

第四號人物叫苦成，越國的太宰。據《周禮．天官》，太宰是「天官長」，主管王宮事務。和他同樣爲太宰的是吳國的伯嚭，不過苦成可比伯嚭的人品好多了，是個十分正直忠心的大臣。

第五號人物叫曳庸（《左傳》稱后庸），越國的行人，也就是外交部長。春秋爭霸，軍事很重要，外交也很重要，所以是句踐手下一個極爲重要的人物。

第六號人物叫皓進，越國的司直，主進諫之職。

第七號人物叫諸稽郢，越國的司馬。此人也是個出了名的猛將兄，其作用相當於夫概之於吳王闔閭。

第八號人物叫靈姑浮，越國的第二號猛將兄，官任越軍先鋒。

第九號人物叫臯如，越國的司農，是個學養深厚、德高望重的老臣。

看到這裡可以發現，越國雖小，但也是人才濟濟。吳越爭霸的好戲，有的瞧了！

對於吳國的大舉入侵，句踐一點兒也不慌張，因爲他喜歡豢養死士，擁有一批死士，一支可怕的敢死部隊。

關於這些死士，先秦典籍《墨子》記載過這麼一件事：

為了試試死士們的勇敢，有一次，越王句踐暗中令人放火燒船，卻假稱是失火，對手下的死士們說：「越國的重寶在這船上，你們趕快去給我奪回來！」說著親自擊鼓，讓他們去送死。

這些死士們早被句踐洗腦，每一個都認為能為大王而死是一件非常光榮的事情，聽到鼓聲，個個奮勇上前。等到死了大概有一百多人了，句踐才滿意地敲鑼，讓他們退回來。

由此可見，這支敢死部隊擁有不怕死的「武士道精神」。「效忠大王」就是他們活著的意義，為了句踐，可以赴湯蹈火，萬死不辭！

還是那句話，「吳越之君皆好勇，故其民好用劍，輕死而易發」。比起吳國人，越國人不怕死的精神似乎更加誇張。強中自有強中手，吳王闔閭已經夠心狠手辣了，不過比起越王句踐，愣是差了那麼一些。

3 兵不厭詐

數百名罪犯倒在吳軍士兵眼前，大風將濃重的血腥味吹散開，所有人瞠目結舌。死人誰沒看過？可是數百個人在眼前「集體自殺」這樣的震撼情景，誰曾看到過？

西元前四九六年（吳王闔閭十九年，越王句踐元年），吳軍一路往南，與越軍在吳越邊境的檇李狹路相逢。吳越爭霸的第一場好戲，開場！

這個地方，位置大概在今天浙江桐鄉到嘉興之間，據說此地得名是來自那裡出產的一種名貴果子——檇李。

檇李，其實就是李子的一種，乃是果品中的黑珍珠，世間罕有之物。成熟後的果子很漂亮，黑裡透紅的表皮還有一層白霧狀的東西蒙著，在陽光照射下，宛如少女臉頰蕩漾開來的紅暈。裡面果肉一般呈琥珀色，質細密，汁液充盈。吃起來，甜中帶一點點酸。據說好的品種，拿一根吸管插入皮裡，吸著吃，可以吸到只剩癟癟一張皮，包著一個核。因爲帶有醇酒的味道，所以也被叫成醉李。

閒話少說，咱們來講這場大戰吧！

吳國和越國之前也打過不少仗了，但之前的戰役，都屬於小規模的試探性質騷擾戰，這一次，雙方卻是動眞格的，不但兩邊的最高領導人親自出馬，最精銳的部隊也盡數出動，吳國這邊就是曾大破楚二十萬大軍的三萬「海軍陸戰隊」，越國這邊則是句踐親自訓練出來的「可赴湯蹈火而面不改色」的五千死士。

戰鬥開始，越王句踐首先發起進攻，命令大將靈姑浮率領一千名死士，全體使用短兵器，一齊朝吳營猛衝。

闔閭冷笑，哼！區區一千死士，就想衝我三萬人的吳軍大陣？眞是天大的笑話！他傳令下去，不用理他們，只把陣腳穩住，外設大盾，內設弓弩手，等人衝到近前，就萬箭齊發，射成刺蝟。

越軍一千悍不畏死的敢死隊睜著血紅的大眼衝上來了，吳軍士兵面色平靜地看著他們，就像看著一群前來送死的傻瓜。

三百步，不動。

兩百步，不動。

一百步，仍不動。

五十步……

好！放箭！

烏壓壓的箭雨頓時佈滿上空，就像一片烏雲遮住天空，戰場暗如黑夜。

一千死士倒下大半。可既然是死士，沒有大王的命令，就算前面是一條死路，也要衝！衝！衝！他們就像一群殺人機器，沒有半點人類的感情，身邊的戰友倒下了，看都不看一眼。

闔閭撇著嘴巴，搖了搖頭，令旗一揮，大陣讓開一條路，讓剩下的數百名越軍死士殺進來，然後又一揮旗，大陣重新封住。陣內吳軍立刻將數百名越軍分割包圍成數十段，分別施以剿殺。

沒想到這群越軍死士十分頑強，面對數十倍於他們的敵人，臉上沒有一點懼色，左右衝突，死都要拉上幾個墊背的。

不久，陣中的廝殺聲慢慢停止了，越軍一千死士全部被剿殺，無一生還，可吳軍為此也付出了近千名士兵的生命。

闔閭心頭一凜，好傢伙！這些死士可眞厲害！好在越國的兵不多，要是他們也有三萬兵馬，寡人恐怕還眞不是對手。

越王句踐聽說自己的一千死士玩完了，臉上卻一點表情都沒有，好像剛才戰死沙場的士兵和他一點關係都沒有。

「靈姑浮，你帶三千死士再衝一次。寡人就不信了，吳軍難道是銅牆鐵壁？」

接下來的情況如出一轍，任由越軍怎麼衝鋒，吳軍巋然不動，只用弓弩壓住陣腳，半步都不鬆動。

句踐洩氣了，只得鳴鑼收兵。沒辦法，再這樣不講一點策略地衝下去，辛辛苦苦培養出來的敢死隊就要拚光了。他回頭看了看一幫幕僚，問：「吳陣堅固，現在敢死隊不頂用了，你們有啥好辦法嗎？」

范蠡眼珠一轉，口中說出五個字：「罪人可使也。」

句踐何等聰明，一下子就猜出了其中的奧妙，撫掌大笑道：「范大夫好計！此計正合孤意。」

第二天，范蠡將所有隨軍死刑罪犯都召集在了一起，發表講話說：「你們都犯了死罪，註定是死路一條。我現在給你們兩條路：第一，在刑場上屈辱地被處死；第二，在戰場上光榮地戰死。你們想選擇哪一條？」

大家七嘴八舌地喊道：「戰死！戰死！」

范蠡點了點頭，說道：「好！你們都是鐵骨錚錚的好漢子，本大夫敬佩你們。吳國無故侵略我國，如果我軍戰敗，即使能僥倖活下來，我們的妻子兒女也都會淪為吳國人的奴隸。現在，我給你們這些人生有污點的人一個當英雄的機會，讓你們為了越國和越國的百姓戰死沙場！大王已經答應了，你們死後，不但一切罪名免去，而且會變成烈士，家人將受到烈屬的優厚待遇。來吧！取走武器，上戰場吧！光輝之路就在眼前！」

罪犯們高舉著武器，大聲喊著：「我們是烈士，我們是烈士！」來到陣前。

吳軍看著這一群衣衫襤褸的罪犯，面面相覷：越國人是不是瘋了？昨天幾千名敢死隊都不頂用，今天派這幾百個罪犯來做什麼？馬戲表演嗎？

百步之外，罪犯們停住腳步，分為三排，為首的上前一步，拿起高音喇叭喊話道：「對面的吳軍兄弟聽著！現在吳、越兩國交兵，我們這些人違犯了大王的軍令，罪該萬死，不敢逃避刑罰，願一死以謝大王。」

話音未落，三排罪犯一齊拔劍抹脖子，竟然來了個集體自殺！

數百名罪犯一排一排撲通撲通地倒在吳軍士兵的眼前。大風將濃重的血腥味吹散開去，一時間，戰場上鮮血橫流，天昏地暗。

所有人瞠目結舌，都被這個慘烈的場面鎮住了，吳軍陣中起了騷動。

打仗嘛，死人誰沒看過？可是數百個人在自己眼前「集體自殺」這樣的震撼情景，誰曾看到過？

句踐見自己的心理戰奏效了，大喜，立刻命令擊鼓。靈姑浮率領著四千敢死隊各擁大盾、持短兵，踏著數百罪犯的屍體呼嘯而至。吳軍還沒從剛才的震驚中回過神來，一時間陣腳大亂，三萬「海軍陸戰隊」全面崩潰。

兵不厭詐，這是戰爭！

闔閭萬萬沒有想到，句踐這個小毛孩能使出這般驚世駭俗的奇招，眼看著自己的軍隊兵敗如山倒，不一會兒的工夫，如狼似虎的越軍已經衝到中軍之前。

越將靈姑浮一馬當先，口中大喊：「衝啊！活捉闔閭老賊！」

闔閭大驚失色，顧不得指揮軍隊了，保命要緊，忙命令親兵上前抵擋，自己跳下車來，想混入亂軍之中逃跑。

靈姑浮根本不去管那些親兵，一個縱身從他們頭上飛了過去，回身一戈，直朝闔閭右足擊來，正中腳趾。闔閭痛叫一聲，抽出血淋淋的腳，光著一隻腳一瘸一拐拚命往另一邊跑。

靈姑浮當然不會放過這個大好機會，飛奔上前，又是一戈。

眼看闔閭就要斃命於此，一個人影奔了過來，拚死擋住，口中大喊：「大王快坐我的戰車跑，這裡我撐著！」原來是專諸的兒子專毅。

闔閭感激地看了一眼專毅，爬上他的戰車絕塵而去，不多時，身後傳來了一聲慘叫——專毅壯烈犧牲了。

靈姑浮撿起吳王闔閭丟掉的那隻鞋子，屁顛屁顛地找句踐獻功去了，不提。

4 復仇之火再起

伍子胥披髮明志，日夜練吳水兵於太湖之上，並在姑蘇山下建立「射棚」，訓導士兵射箭之法，一連三年都沒有和妻子、家人親近，一心撲在復仇工作上。

檇李一戰，以吳國的大敗告終。但有一點我們必須搞清楚，吳國雖然慘敗在越國的手上，但不意味實力低於越國。

事實上，越國國小地貧，國力遠遠落後於西破強楚、北威齊晉的吳國。闔閭的慘敗，一是由於自己過於輕敵，二是由於句踐和范蠡不按常理出牌，使出了讓囚徒在吳軍面前「集體自殺」這種讓人跌破眼鏡的變態怪招。

更進一步看，其實可以說，越國這次雖然僥倖勝利，但從長遠考量，卻是敗招。因爲這件事已將它徹底推到了風口浪尖的位置上。自身實力不足，不先努力發展，積蓄力量，偏要在這個時候去激怒一個強大而危險的敵人，這是眞正的失策。

從前，專諸以一死爲闔閭換來尊貴無比的吳國王座。現在，專毅的一死，能不能換來闔閭寶貴的一條小命？

答案是否定的。

闔閭雖然只被砍掉一根腳趾，算不上什麼致命傷，但他畢竟老了，十年養尊處優的神仙日子早已消耗掉強健體魄和堅強意志，再加上春秋時期醫藥條件落後，沒有雲南白藥，更沒有止痛針，老邁的他隨軍潰散出七里遠，終於忍受不住劇烈疼痛，大叫一聲，跌下戰車，鮮血流盡而死。

闔閭一生征戰無數，全身上下竟無半點傷痕，這是他第一次受傷，卻也是最後一次。威震天下、英雄蓋世的吳王闔閭，就這麼出人意料地隕落，更可惡的是，爲他掘墓的這個人，居然是他一直瞧不起的小小越國的小毛孩——句踐小兒！

他眞是好恨，好不服氣，臨死前，看著兒子夫差，氣喘吁吁地說：「爾而忘句踐殺汝父乎？」

夫差哭著說：「夫差誓死不忘殺父大仇，三年之內，必將越國夷爲平地。」

一旁的伍子胥也握拳道：「大王，從前，你爲臣報了全家的大仇，現在，輪到臣爲你報仇了。你放心，我一定會幫太子滅掉越國，句踐不死，子胥不生。」

闔閭滿意地點了點頭，闔目而逝。

從此，吳國與越國結下了比錢塘江還長、比太湖水還深的血仇。血債就要血來償，這兩個國家註定不能共存於這個世上，不是你死，就是我亡。

這果然是一段復仇的歷史，伍子胥和楚國的深仇大恨只是本段歷史的第一個高潮，吳國與越國的血海深仇則是第二個。伍子胥啊伍子胥，你何等命苦，總是生活在痛苦而慘烈的復仇之中，為父兄復仇，又為君王復仇，一生一世，仇怨為伴。

不久，夫差正式登基，成為吳國新任國君。

這個大孝子，為了給父親闔閭營造墓穴，發動成千上萬的吳國民工，在破楚門外七里處的海湧山上取土堆丘，又在丘上修建起長寬各六十步的劍池，池水深達一丈五尺（防止盜墓），終年不乾，清澈見底，味道甘甜，可以汲飲，唐代李秀卿曾品為「天下第五泉」。

大墓落成後，夫差將他老爹的屍體用三層銅棺深埋在劍池之下，並在墓中修了個六尺見方的水銀大池，池裡放上黃金珠玉做的鳧雁，還將與闔閭畢生命運密切相連的魚腸寶劍及三千口扁諸寶劍，再加上三千人殉，一同陪葬。

據《元和郡縣誌》載，後來「秦皇鑿山以求珍異，莫知所在，孫權穿之亦無所得」，看來夫差防止盜墓的本事一流。

另外，據說此墓修成三日之後，墳丘上出現一頭吊睛白額大老虎，所以後人們又將闔閭墓稱爲虎丘。

虎丘不但是蘇州著名的古蹟，也是頗負盛名的佛教聖地。宋朝大詞人蘇東坡曾說過：「到蘇州而不遊虎丘，乃是憾事。」明代徐縉也說：「平生遊覽遍天下，遊之不厭惟虎丘。」您要是來蘇州旅遊，沒去虎丘看一下，那等於沒來過。

再說夫差。所謂殺父之仇，不共戴天，他是個大孝子，當然要謹遵父王遺命，於是叫侍衛們輪番在宮廷裡值班，每當自己經過門口的時候，就大聲提醒說：「夫差，爾忘越王之殺爾父乎？」

一聽這話，夫差就會哭著回答：「唯！不敢忘！」

同是報仇，可是比起白髮魔男伍子胥，夫差就顯得沒啥氣魄了。大丈夫頂天立地，報仇就報仇，何必要作這些秀？夫差的行爲，看似有血氣，其實全是弱者所爲。只有弱者，才需要擺個樣子，藉此來提升自己的膽氣。一旦沒有了仇恨的刺激，便會原形畢露，恢復平庸懦弱的本性。從這點上來看，夫差不但比之伍子胥甚遠，就是比他老爸闔閭，那也是差多了。

好在，吳國還有一個伍子胥。

對於闔閭的死，他內心十分自責。要不是當初跟闔閭鬧意見，他就不會留在吳國而沒有一起出征。要是自己一起出征，闔閭或許也就不會戰敗身亡了。

伍子胥是個有仇必報，有恩必還的人，當年他身負血海深仇，孤身逃到吳國，要不是闔閭仗義收留又幫忙報仇，他早就變成一個異國之鬼了，無論如何，他一定要替闔閭報仇雪恨。

對於夫差，伍子胥則有著一種類似於父子般的深厚情感。這個小夥子，是他看著長大，也是他一手扶上吳王之位的。夫差的喪父之痛和滿腔仇恨，伍子胥感同身受，因爲這些事情，他都曾經歷。

伍子胥對夫差的愛，既是君臣之愛，也是父子之愛。相信直到臨死的那一刻，這種愛也未減輕半分，因爲他明白，夫差不聽他的話，總有一天會落得與他父親相同的下場，那時候，他心中有恨，但更多的，是同情。同情，也是一種愛。

伍子胥眞可算是春秋歷史上唯一的「善惡交集體」、「黑色英雄」。一轉眼，金剛怒目、魔神下凡；一轉身，卻又菩薩低眉，慈悲滿懷。

當年，他全家被滅，流浪於江淮之地，誰能想到日後竟能以一己之力，幫助小小的吳國滅掉泱泱大楚？作爲一個臣子，敢於向國君挑戰，作爲一個個體，敢於向一個國家挑戰，這是何等的英雄氣概？可是一轉眼，英雄卻變成了惡魔。五戰五捷，攻入郢都，挖墳掘墓便留下足以抵消他一生功業的三百鞭。世間的道學家們往往都喜歡藉此說事，說伍子胥爲了私仇背叛祖國，引狼入室，殺死不知多少無辜的楚民，實在是殘暴不仁，徹徹底底的楚奸。

不過，我實在不忍用「楚奸」這個詞來形容他。要知道，春秋時代，國家的意義與現在並不相同。當時有個說法叫「楚材晉用」，楚國人跑到敵國入仕的例子太多了，眞要這麼算，「楚奸」簡直多如牛毛！

不妨看看與伍子胥同時代的人是怎麼看他的吧！

莊子說：「世之所謂忠臣者，莫若王子比干、伍子胥。子胥沉江，比干剖心。此二子者，世謂忠臣也。」

屈原說：「忠不必用兮，賢不必以。伍子逢殃兮，比干菹醢。」

莊子、屈原這樣的大聖賢，都將伍子胥看做是與比干一般的忠臣，後輩又有什麼資格稱他爲「楚奸」呢？

伍子胥一生雖多殺孽，內心未必就沒有「仁」的一面，不過，他的「仁」只針對自己的恩人、戰友與同志，對待仇敵，可從來不會留情。

要我說，伍子胥的確不是個符合中國傳統道德觀念的仁者，但是骨子裡卻是個江湖豪俠，恩怨分明篤定。復仇有多徹底，報恩就有多強烈。當楚平王的屠刀落下，當吳王闔閭重傷而死，他就註定陷在了恩怨的輪迴中，再也沒有了自我。

鞭屍復仇後，伍子胥原以爲這個世界上再也沒有什麼可以讓他努力、爲之奮鬥，因爲吳國並不是他眞正的國家，他眞正的國家已經被自己親手給毀滅，此後他爲吳國所做的任何事，只是盡一個朋友和臣子的義務。

可是這些年過來，他發現事實並不如自己所想，吳國早已變成了自己的家。他畢竟在這地方待了三十年，而人都是有感情的動物。不知從什麼時候開始，吳國的命運，已和他的命運緊緊地聯繫在了一起。

對於吳軍的這次大敗，伍子胥十分痛苦。作爲一個主事大臣，對上沒能保全君主，對下讓子弟們遭到刀兵的傷殘，甚至爲此傷心自責，日夜哭泣，世上卻沒有一人能理解。在世人的眼中，他永遠是個鐵石心腸的復仇男、白髮惡魔。

正是抱著滿腔的自責之心、感恩之心與同情之心，伍子胥披髮明志，日夜練吳水兵於太湖之上，並在姑蘇山下建立「射棚」，訓導士兵射箭之法。據《越絕書》記載，這段時期，他一連三年都沒有和妻子、家人親近，一心撲在復仇工作上，餓了顧不上吃飯，冷了也顧不上多添衣服。

姑蘇山下、太湖岸邊，處處可見他一襲白衣、滿頭亂髮、四處奔忙的身影。那頭在昭關下一夜轉白的長髮，已經從漂亮的銀白慢慢變成了暗淡的蒼白。英雄遲暮，歲月無情催人老，伍子胥明白，他老了，精力大不如前，更要珍惜現在一點一滴的時間，因爲要做的事情還有很多。

在他的不懈努力下，吳軍戰鬥力大大加強，於檇李之戰中遭受重創的「海軍陸戰隊」也重新建制，且人數更增至十萬，眞所謂兵強馬壯，就等著有朝一日，爲闔閭報那一戈之仇。

• 更多精采內容在《春秋那些事之吳越爭霸卷二》，請繼續閱讀遙遠的春秋時代，曾有五位各領風騷的英雄霸主，從最瘋狂的浪潮中脫穎而出，改變了整個時代。他們是豁達風流的齊桓公小白，癡情固執的宋襄公茲父、重義頑強的晉文公重耳、溫柔敦厚的秦穆公任好、才華橫溢的楚莊王熊侶。宮廷殺戮與政治流亡，大國崛起與鐵血權謀，五位英雄霸主各領風騷！看著這段激情四射、絢爛精采的歷史，你會驚喜地發現，原來春秋如此生動有趣。

春秋那些事兒

下卷 秦穆公·楚莊王

Those things about
Spring and Autumn Period time

精采完結

江湖閑樂生 著

全程演繹春秋五霸崢嶸歲月

一代神人劉伯溫的
通天智慧
三分天下諸葛亮，一統江山劉伯溫！
身為大明開國第一謀臣，劉伯溫號稱諸葛孔明再世，
不僅才華橫溢、料事如神，還擁有預知未來的能力！
大明神算
劉伯溫
上卷
天下混戰
張曉珉 著
傳說中能掐會算、未卜先知的劉伯溫，
為何最後會死在「最佳拍檔」朱元璋的手裡？
真實的歷史中的他到底是個什麼樣的人物？
他如何運籌帷幄，輔佐朱元璋一一剷除勁敵，
他究竟像不像傳說中那麼神奇？
翻開本書，
你將領略明朝開國第一謀臣劉伯溫深不可測的通天智慧
Stars 群星會 154
大明神算 劉伯溫 上 天下混戰
張曉珉 著
普天
Stars 群星會 155
大明神算 劉伯溫 下 指點江山 精采完結
張曉珉 著
普天

一代神人諸葛亮的
神奇智慧
三國智聖
三國，中國歷史上最傳奇、最精采的時代；
諸葛亮，三國時期最神奇、最具智慧的蜀漢丞相，
號稱「兩漢以來無雙士，三代而後第一人」。
諸葛亮
上卷
亂世計中計
朱真 著
諸葛亮才智過人，奇謀迭出，《三國演義》為他塑造了不少出神入化的情節，
民間傳說則替他披上了一層層神秘面紗。
有人說他是智慧的化身，
有人說他「狀多智而近妖」，也有人說他是典型的權術家，
他為什麼會被神化呢？他到底有哪些過人的智慧，如何與三國群雄鬥智鬥力，
又如何寫下算無遺策、用兵如神的傳奇？
Stars 群星會 152
三國智聖 諸葛亮
上卷
亂世計中計
朱真 著
普天
Stars 群星會 153
三國智聖 諸葛亮
下卷
三國局中局
精采完結
朱真 著
普天

群星會

159

春秋那些事之吳越爭霸

卷一：逃亡與復仇

作　　者　江湖閑樂生
社　　長　陳維都
美術總監　黃聖文
編輯總監　王　凌
出 版 者　普天出版社
新北市汐止區康寧街 169 巷 25 號 6 樓
TEL / (02) 26921935 (代表號)
FAX / (02) 26959332
E-mail：popular.press@msa.hinet.net
http://www.popu.com.tw/
郵政劃撥 19091443 陳維都帳戶
總 經 銷　旭昇圖書有限公司
新北市中和區中山路二段 352 號 2F
TEL / (02) 22451480 (代表號)
FAX / (02) 22451479
E-mail：s1686688@ms31.hinet.net
法律顧問　西華律師事務所・黃憲男律師
電腦排版　巨新電腦排版有限公司
印製裝訂　久裕印刷事業有限公司
出 版 日　2018 (民 107) 年 8 月 第 1 版
ISBN◉978-986-389-527-5　　條碼 9789863895275

國家圖書館出版品預行編目資料

春秋那些事之吳越爭霸 卷一

江湖閑樂生著. —第 1 版. —：新北市, 普天

107.08 面； 公分. - (群星會；159)

ISBN◉978-986-389-527-5 (平裝)